#수능구문첫걸음
#내가바로독해고수

바로 읽는
구문 독해

바로 시리즈 검토에 도움을 주신 분들

홍정환 선생님(영어의 힘)
박용철 선생님(PK대치스마트에듀)
이성형 선생님(해윰학원)
주은숙 선생님(원클래스 학원)
윤지원 선생님(고려학원)
김지혜 선생님(Epic English)
채효석 선생님(빅터 아카데미)

박주경 선생님(PK대치스마트에듀)
원영아 선생님(멘토영어)
김란숙 선생님(샘앤아이영어)
김도희 선생님(원클래스 학원)
김현욱 선생님(동광학원)
박지혜 선생님(다이나믹 학원)

박은영 선생님(PK대치스마트에듀)
원지윤 선생님(아잉카영어)
이차은 선생님(BOB영어)
Kyle 선생님(한스터디)
이형언 선생님(훈성학원)
이민정 선생님(BMA 어학원)

원어민 검토

Stephanie Berry, Matthew D. Gunderman

Chunjae
Makes
Chunjae

▼

[바로 읽는 구문 독해] LEVEL 2

기획총괄	장경률
편집개발	유순경, 김윤미, 최윤정, 오매남, 이시현, 이민선
디자인총괄	김희정
표지디자인	윤순미, 안채리
내지디자인	디자인뮤제오
제작	황성진, 조규영

발행일	2022년 5월 15일 2판 2024년 8월 15일 3쇄
발행인	(주)천재교육
주소	서울시 금천구 가산로9길 54
신고번호	제2001-000018호
고객센터	1577-0902
교재 구입 문의	1522-5566

중학부터 시작하는 수능 구문 첫걸음

바로 읽는 구문 독해
LEVEL 2

How to Use

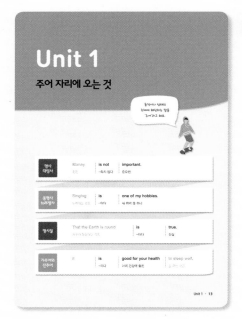

01
단원 미리 보기

이 단원에서 학습할 구문을 한눈에
보기 쉽게 정리하였습니다

02
STEP 1 ≫ 구문 Start

- **개념** 핵심 문장으로 중요 개념을 익힙니다.
- **바로 예문** 영어 예문과 우리말 해석에 학습한 구문을 적용해 봅니다.
- **바로 훈련** 다양한 문장으로 구문 훈련을 해 봅니다.

WORKBOOK

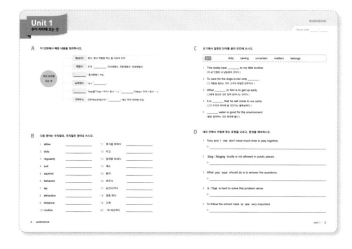

A 한눈에 개념 정리
도표를 완성하며 단원에서 배운 개념을 간단히 정리합니다.

B 어휘 Review
단원에서 학습한 어휘를 복습합니다.

C 어휘+문장
문장 속 어휘의 쓰임을 익힙니다.

D 어법+해석
어법 문제를 풀며 문장 해석 연습을 합니다.

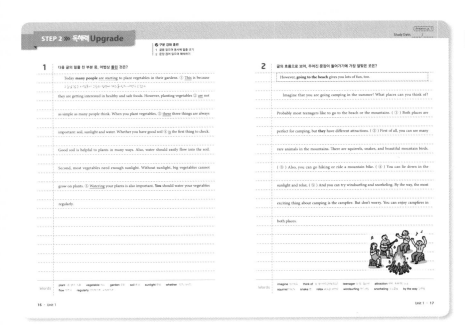

03

STEP 2 »» 독해력 Upgrade

- 수능 유형의 문제를 풀며 수능 만점 감각을 키웁니다.
- 전체 지문을 문장 단위로 학습하며 구문 강화 훈련을 합니다.

04

STEP 3 »» 구문 Master

- 구문+어법 어법 문제를 풀며 배운 구문을 재점검합니다.
- 구문 분석 노트 구문 분석 노트를 완성하며 배운 구문을 정리합니다.

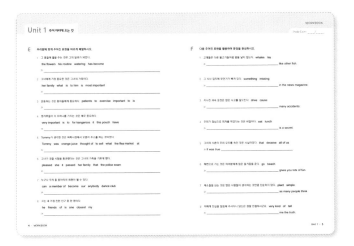

E 영작 훈련 1
주어진 표현을 배열하여 문장을 완성합니다.

F 영작 훈련 2
주어진 표현을 이용하여 문장을 완성합니다.

Contents

자기 주도 학습 관리표

단원	목차	공부한 날 월 / 일	복습한 날 월 / 일	나의 성취도 체크 (∨) 개념 이해	문제 풀이	오답 점검	누적 복습
UNIT 1 주어 자리에 오는 것	**01** 명사, 대명사						
	02 동명사, to부정사						
	03 명사절						
	04 가주어와 진주어						
UNIT 2 목적어 자리에 오는 것	**01** 명사, 대명사						
	02 동명사, to부정사						
	03 명사절						
	04 가목적어와 진목적어						
UNIT 3 보어 자리에 오는 것	**01** 주격보어 I: 명사, 형용사						
	02 주격보어 II: 동명사, to부정사						
	03 주격보어 III: 명사절						
	04 목적격보어: 명사, 형용사, to부정사						
UNIT 4 시제	**01** 현재진행, 과거진행						
	02 현재완료						
	03 과거완료						
	04 미래시제, 미래진행						
UNIT 5 조동사	**01** 능력, 가능, 부탁						
	02 의무, 필요, 충고						
	03 허락, 추측						
	04 과거의 습관 및 기타 표현						

Intro

01 문장의 구성 요소

문장을 이루는 구성 요소에는 주어, 동사, 목적어, 보어, 수식어가 있다.

The musical is interesting.
　　주어　　동사　　보어

My sister eats cereal in the morning.
　주어　　동사　　목적어　　　수식어

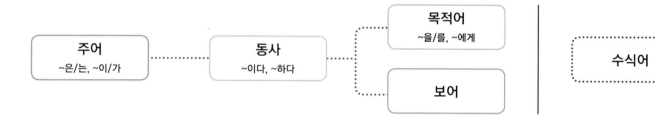

1　주어　동사가 나타내는 동작이나 상태의 주체가 되는 말로, 주로 문장 맨 앞에 쓴다.

» **Emma** is from England. Emma는 영국 출신이다.
　　주어　　동사

» **My brother** likes strawberry cake. 내 남동생은 딸기 케이크를 좋아한다.
　　　주어　　　　동사

2　동사　주어의 동작이나 상태를 나타내는 말로, 주로 주어 뒤에 쓴다.

» They **are** very tired. 그들은 매우 피곤하다. 〈상태〉
　주어　동사

» Rabbits **run** faster than turtles. 토끼는 거북이보다 빨리 달린다. 〈동작〉
　　주어　　동사

3 **목적어**   동사가 나타내는 동작의 대상이 되는 말로, 주로 동사 뒤에 쓴다.

» Sam grows **vegetables** in the garden. Sam은 정원에서 채소를 기른다.
   주어   동사   목적어

» Jane made **him a sandwich**. Jane은 그에게 샌드위치를 만들어 줬다.
   주어   동사   간접목적어   직접목적어

4 **보어**   주어나 목적어를 보충하여 설명하는 말로, 주로 동사나 목적어 뒤에 쓴다.

» She is **my homeroom teacher**. 그녀는 나의 담임선생님이다. 〈주격보어〉
   주어 동사   보어

» The food looks **delicious**. 그 음식은 맛있어 보인다. 〈주격보어〉
   주어   동사   보어

» The movie made them **sad**. 그 영화는 그들을 슬프게 만들었다. 〈목적격보어〉
   주어   동사   목적어   보어

5 **수식어**   주어, 동사, 목적어, 보어 또는 문장 전체를 수식하여 의미를 더 자세하고 풍부하게 해 주는 말이다.

» The phone **on the table** is mine. 책상 위에 있는 전화는 내 것이다. 〈주어 수식〉
   주어   수식어   동사 보어

» The boy cried **loudly**. 그 소년은 큰소리로 울었다. 〈동사 수식〉
   주어   동사   수식어

바로 훈련   밑줄 친 부분이 어떤 문장 구성 요소인지 〈보기〉에서 골라 쓰시오.

1. His job is an animal doctor.
   (   ) (   )

2. The bird in the tree sings beautifully.
   (   ) (   )(   )

3. Mina and I will join the ski camp this winter.
   (   )   (   ) (   )

4. The news made them surprised.
          (   )(   )

보기
주어
동사
목적어
보어
수식어

02 품사

단어를 성격과 쓰임이 비슷한 것끼리 분류한 것으로, 영어에는 8개의 품사가 있다.

Oh, that sounds fun.
감탄사 대명사 동사 형용사

The small and skinny polar bear on the ice looks very hungry.
관사 형용사 접속사 형용사 명사 전치사 관사 명사 동사 부사 형용사

---

1 명사

사람, 동물, 사물, 장소 등의 이름을 나타내는 말로, 문장에서 주어, 목적어, 보어로 쓰인다.

e.g. Busan, water, idea, friend, family

» **Jejudo** is a popular **destination** for foreign **tourists**.

제주도는 외국인 관광객들에게 인기 있는 여행지이다.

---

2 대명사

명사를 대신하는 말로, 명사처럼 주어, 목적어, 보어로 쓰인다.

e.g. I, you, we, he, she, it, they, this, that

» I know the man. **He** lives next door to **me**. (He = the man)

나는 그 남자를 안다. 그는 내 옆집에 산다.

---

3 동사

사람, 동물, 사물 등의 동작이나 상태를 나타내는 말이다.

e.g. be동사(am, is, are), 일반동사(do, have, like, ...) 조동사(can, may, will, ...)

» My family **goes** camping every weekend.

우리 가족은 주말마다 캠핑을 떠난다.

---

4 형용사

사람, 사물의 상태, 모양, 성질, 수량 등을 나타내는 말로, 명사를 수식하거나 보어 역할을 한다.

e.g. good, kind, big, hot, cold, many, ...

» David and I are **good** friends.

David와 나는 좋은 친구이다.

5	부사	장소, 방법, 시간, 정도 등을 나타내며, 형용사, 동사, 다른 부사 또는 문장 전체를 수식한다.
		e.g. today, here, very, really, always, often, luckily, ...

» Judy speaks Korean **very well.**

Judy는 한국어를 매우 잘 말한다.

6	전치사	명사나 대명사 앞에 위치하여 장소, 방향, 시간, 수단 등을 나타내는 말이다.
		e.g. in, at, to, under, over, about, by, for, ...

» They went **to** the hospital **by** taxi.

그들은 택시를 타고 병원에 갔다.

7	접속사	단어와 단어, 구와 구, 절과 절을 이어주는 말이다.
		e.g. and, or, but, so, before, after, because, when, ...

» I like pizza, **but** my brother likes chicken.

나는 피자를 좋아하지만, 내 남동생은 치킨을 좋아한다.

8	감탄사	놀람이나 기쁨, 슬픔 등의 감정을 나타내는 말이다.
		e.g. oh, wow, um, oops, ...

» **Oh**, I like your new hairstyle.

오, 나는 너의 새로운 머리 모양이 마음에 들어.

바로 훈련 밑줄 친 부분의 품사를 〈보기〉에서 골라 쓰시오.

1. She is a popular singer.
   (   ) (   )(   )

2. The black dog looks very scary.
   (   ) (   )(   )

3. Oops, I left my wallet on the bus.
   (   ) (   ) (   )

4. Emma stayed at home because it rained heavily.
   (   )   (   )   (   )   (   )

보기

명사 대명사

동사 형용사

부사 전치사

접속사 감탄사

Answers 1. 대명사, 형용사, 명사 2. 형용사, 동사, 부사 3. 감탄사, 동사, 전치사 4. 명사, 동사, 전치사, 부사

03 구와 절

두 개 이상의 단어가 모이면 구나 절이 된다.

My father enjoys <u>watching baseball games</u>.
명사구

<u>When she was young,</u> <u>she wanted to be a pilot.</u>
종속절(부사절)   주절

1 구
두 개 이상의 단어가 모여서 만들어지는 말로, 「주어 + 동사」가 없다. 명사구, 형용사구, 부사구가 있다.

» I like **walking in the rain**. 나는 <u>빗속을 걷는 것을</u> 좋아한다.
명사구

» We need <u>something</u> **to drink**. 우리는 <u>마실 것이</u> 필요하다.
형용사구

» He went fishing **early in the morning**. 그는 <u>아침 일찍</u> 낚시하러 갔다.
부사구

2 절
두 개 이상의 단어가 모여서 만들어지는 말로, 「주어 + 동사」를 포함한다. 명사절, 형용사절, 부사절이 있다.

» I believe **that he is telling the truth**. 나는 <u>그가 진실을 말하고 있다고</u> 믿는다.
명사절

» The <u>book</u> **that you lent me** was interesting. <u>네가 나에게 빌려준</u> 그 책은 재미있었다.
형용사절

» I am hungry **because I skipped lunch**. 나는 <u>점심을 걸러서</u> 배가 고프다.
부사절

바로 훈련 밑줄 친 부분이 구인지 절인지 쓰시오.

1. He wants <u>to buy a new car</u>. » _____

2. I didn't know <u>that you have a twin sister</u>. » _____

3. Just call me <u>when you need my help</u>. » _____

4. She likes to swim <u>in the sea</u>. » _____

Unit 1

주어 자리에 오는 것

동작이나 상태의 주체에 해당하는 말을 '주어'라고 해요.

명사 대명사	Money 돈은	is not ~하지 않다	important. 중요한	

동명사 to부정사	Singing 노래하는 것은	is ~이다	one of my hobbies. 내 취미 중 하나	

명사절	That the Earth is round 지구가 둥글다는 것은	is ~이다	true. 진실	

가주어와 진주어	It	is ~이다	good for your health 너의 건강에 좋은	to sleep well. 잘 자는 것은

01 명사, 대명사

① **Sugar** / makes / food / sweet.
　주어(명사)　　　동사

설탕은 / 만든다 / 음식을 / 달게

② **Those** / are not / my pictures.
　주어(대명사)　　동사

그것들은 / ~이 아니다 / 나의 사진들

- 주어는 주로 동사 앞에 위치하며, '~은/는/이/가'로 해석한다.
- 명사와 둘 이상의 단어로 이루어져 명사 역할을 하는 명사구는 주어 자리에 올 수 있다.
- 주격 인칭대명사, 지시대명사, 의문대명사, 부정대명사 등의 대명사는 주어 자리에 올 수 있다.

바로예문 영어와 우리말에서 주어 찾기

1 <u>Mary</u> called him several times today.

　<u>Mary</u>는 오늘 그에게 여러 번 전화했다.

2 This pretty doll belongs to my little sister.

　이 예쁜 인형은 내 여동생의 것이다.

3 She is one of my closest friends.

　그녀는 내 가장 친한 친구 중 한 명이다.

4 Something is missing in the newsletter.

　그 소식지에 무언가가 빠져 있다.

바로훈련 주어에 밑줄을 긋고, 문장을 해석하시오.

5 Whales do not lay eggs like other fish.

　≫ _____

6 Ms. Brown is a human rights lawyer.

　≫ _____

7 Nothing will change in the school program.

　≫ _____

8 Jane and I don't have much time to talk now.

　≫ _____

9 Anybody can become a member of our club.

　≫ _____

Words

belong to ~에 속하다
newsletter 소식지
whale 고래
lay (알을) 낳다
human rights 인권
lawyer 변호사

02 동명사, to부정사

① **Dancing** / is / his favorite thing.
　주어(동명사)　동사

춤추기는 / ~이다 / 그가 가장 좋아하는 것

② **To exercise** / is / important to patients.
　주어(to부정사)　동사

운동하는 것은 / ~이다 / 환자들에게 중요한

- 「동사원형+-ing」 형태의 동명사와 「to+동사원형」 형태의 to부정사는 주어 자리에 올 수 있다.
- 주어로 쓰인 동명사(구)와 to부정사(구)는 모두 '~하는 것은/~하기는'으로 해석한다.
- 동명사(구)와 to부정사(구) 주어는 단수 취급하여 단수 동사를 쓴다.

바로예문 영어와 우리말에서 주어 찾기

1 Driving too fast causes many accidents.

지나친 과속 운전은 많은 사고를 일으킨다.

2 Saving energy is good for the environment.

에너지를 절약하는 것은 환경에 좋다.

3 To smoke is not allowed in public places.

공공장소에서 흡연하는 것은 허용되지 않는다.

4 To care for his children is one of his jobs.

자녀들을 돌보는 것은 그의 일 중 하나이다.

바로훈련 주어 또는 동사로 알맞은 것을 고르고, 문장을 해석하시오.

5 To read / Read two books a week is not easy.

　» _____

6 Travel / Traveling all around the world is one of his dreams.

　» _____

7 To follow rules is / are everyone's duty in society.

　» _____

8 Watering the flowers has become / have become her routine.

　» _____

9 Moving to another city was / were our only option.

　» _____

Words

patient 환자
save 절약하다
allow 허용하다
environment 환경
duty 의무, 임무
water 물을 주다
routine 일상적인 일, 일과
option 선택 사항

✔ 구문 강화 훈련
1 글을 읽으며 동사에 밑줄 긋기
2 문장 끊어 읽으며 해석하기

1 다음 글의 밑줄 친 부분 중, 어법상 틀린 것은?

Today **many people** are starting to plant vegetables in their gardens. ① This is because

오늘날 많은 사람들이 그들의 정원에 채소를 심기 시작하고 있다.

they are getting interested in healthy and safe foods. However, planting vegetables ② are not

as simple as many people think. When you plant vegetables, ③ these three things are always

important: soil, sunlight and water. Whether you have good soil ④ is the first thing to check.

Good soil is helpful to plants in many ways. Also, water should easily flow into the soil.

Second, most vegetables need enough sunlight. Without sunlight, big vegetables cannot

grow on plants. ⑤ Watering your plants is also important. **You** should water your vegetables

regularly.

Words plant ~을 심다; 식물   vegetable 채소   garden 정원   soil 토양   sunlight 햇빛   whether ~인지 아닌지
flow 흐르다   regularly 정기적으로, 규칙적으로

2 글의 흐름으로 보아, 주어진 문장이 들어가기에 가장 알맞은 곳은?

> However, **going to the beach** gives you lots of fun, too.

Imagine that you are going camping in the summer! What places can you think of?

Probably most teenagers like to go to the beach or the mountains. (①) Both places are

perfect for camping, but **they** have different attractions. (②) First of all, you can see many

rare animals in the mountains. There are squirrels, snakes, and beautiful mountain birds.

(③) Also, you can go hiking or ride a mountain bike. (④) You can lie down in the

sunlight and relax. (⑤) And you can try windsurfing and snorkeling. By the way, the most

exciting thing about camping is the campfire. But don't worry. You can enjoy campfires in

both places.

Words

imagine 상상하다   think of ~을 생각하다[떠올리다]   teenager 십 대, 청소년   attraction 매력, 매력적인 요소
squirrel 다람쥐   snake 뱀   relax 휴식을 취하다   windsurfing 윈드서핑   snorkeling 스노클링   by the way 그런데

03 명사절

① **That I passed the audition** / is / unbelievable.
　　　주어(that절)　　　　　　　동사
내가 오디션을 통과했다는 것은 / ~이다 / 믿을 수 없는

② **What I found in the garage** / was / an old bicycle.
　　　주어(what절)　　　　　　　동사
내가 차고에서 발견했던 것은 / ~였다 / 낡은 자전거

- 「That+주어+동사 ~」는 명사절로서 문장의 주어 자리에 올 수 있으며, '(That절의 주어)가 ~하다는/~라는 것은'으로 해석한다.
- 「What+주어+동사 ~」는 명사절로서 주어 자리에 올 수 있으며, '(What절의 주어)가 ~하는 것은'으로 해석한다.
- That절과 What절 주어는 단수 취급하여 단수 동사를 쓴다.

바로예문 영어와 우리말에서 주어 찾기

1 That we ate pizza last night is a secret.

우리가 어젯밤에 피자를 먹은 것은 비밀이다.

2 What is most important to me is my family.

내게 가장 중요한 것은 우리 가족이다.

3 That he drew this picture was surprising.

그가 이 그림을 그렸다는 것은 놀라웠다.

4 What matters to him is to get healthier.

그에게 중요한 것은 더 건강해지는 것이다.

바로훈련 주어와 동사 사이에 '/' 표시를 하고, 문장을 해석하시오.

5 What I bought yesterday was a wallet.

　》 _____

6 That the team won the game pleased many fans.

　》 _____

7 What you should do is to reply to all the letters.

　》 _____

8 That Judy cheated on the exam is so disappointing.

　》 _____

9 What we ask is different from what they think.

　》 _____

Words

unbelievable 믿기 힘든
garage 차고
matter 중요하다
reply 답장을 보내다
cheat 부정행위를 하다

04 가주어와 진주어

① **It** / is / good / for children / **to have a pet**.
　가주어　동사　　　　　　　　　　　　　　　진주어(to부정사구)

(x) / ~이다 / 좋은 / 어린이들에게 / 애완동물을 키우는 것은

② **It** / is / uncertain / **that he will leave this city**.
　가주어　동사　　　　　　　　　진주어(that절)

(x) / ~이다 / 불확실한 / 그가 이 도시를 떠날 것인지는

- 문장의 주어가 긴 어구일 때 가주어 It을 쓰고, 진주어인 긴 어구를 문장 뒤로 보낼 수 있다.
- to부정사구와 that절이 주어 자리에 오면 가주어 It을 쓸 수 있다. 이때 가주어 It은 해석하지 않고, 진주어인 to부정사구나 that절을 주어로 해석한다.

바로예문 영어와 우리말에서 진주어 찾기

1 It is hard to study math alone.

2 It was true that he deceived us.

3 It is surprising that Jack and Mary are twins.

4 It is necessary for you to check the schedule.

혼자서 수학을 공부하는 것은 힘들다.

그가 우리를 속였다는 것은 사실이었다.

Jack과 Mary가 쌍둥이라는 것은 놀랍다.

네가 일정을 확인하는 것이 필요하다.

바로훈련 가주어 또는 진주어로 알맞은 것을 고르고, 문장을 해석하시오.

Words
uncertain 불확실한
deceive 속이다
pity 유감
trust 믿다
promote 승진시키다
brand-new 최신의
laptop 휴대용[노트북] 컴퓨터

5 It is very kind of you to tell / telling me the information.

　» _____

6 It / This is a pity that Ms. White could not join our trip.

　» _____

7 It / This is very important to trust each other.

　» _____

8 It pleased his family to / that he got promoted.

　» _____

9 It does not help to / that we have two brand-new laptops.

　» _____

3 다음 글에 나타난 **Tommy**의 심정으로 가장 알맞은 것은?

To earn pocket money <u>was not</u> easy for Tommy. His parents gave him one dollar each

Tommy에게 용돈을 버는 것은 쉽지 않았다.

time he showed good behavior. For example, if Tommy mowed the lawn in the backyard, he

would get one dollar for his work. So far, he has saved about one hundred dollars. With that

money, he decided to start his own business. **What Tommy thought of** was to sell orange

juice at the flea market on weekends. He bought some oranges, plastic cups, and straws at

the supermarket. Also, he borrowed a juicer from his mom. Now he can't wait to open his

own shop tomorrow!

① 기대감　　② 실망감　　③ 미안함　　④ 불안함　　⑤ 당혹스러움

Words　pocket money 용돈　　behavior 행동　　mow (잔디 등을) 깎다, 베다　　lawn 잔디밭　　backyard 뒷마당　　decide 결심하다
own 자기 자신의　　flea market 벼룩시장　　straw 빨대　　juicer 과즙 짜는 기계, 주스기

4 다음 글에서 설명하고 있는 캥거루의 흥미로운 특성 <u>두 가지</u>는?

Kangaroos are strange animals which only live in Australia. They have big, powerful legs and a tail. They can hop and move a long distance with their strong legs. One interesting thing about kangaroos is their pouch. **It** is very important for them **to have this pouch** because they raise their babies in it. Baby kangaroos eat and sleep in their mothers' pouches until they grow up. Another interesting thing about kangaroos is their fighting. Some male kangaroos often fight to mate. Their fighting is very similar to boxing. Two kangaroos that are fighting each other look like two boxers. But one difference is that kangaroos can use their legs while they are fighting.

① 호주에 사는 것   ② 힘센 다리   ③ 긴 꼬리   ④ 주머니   ⑤ 수컷들의 싸움

Words tail 꼬리   hop 깡충 뛰다   distance 거리   pouch 주머니   raise 기르다   grow up 자라다, 성장하다   fight 싸우다
mate 짝짓기하다   be similar to ~와 비슷하다   difference 차이점

네모 안에서 알맞은 표현을 고르시오.

1 Some / Something interesting was missing in the article.

2 You / Your can become a member of our club.

3 Water / Watering the plants is my duty.

4 To recycle bottles is / are good for the environment.

5 It / That James passed the audition was surprising.

6 What we / us found in our cars was nothing after all.

7 It / That was true that she made some mistakes.

8 It is good for our health eat / to eat fruits every day.

 구문 분석 노트를 완성하시오.

1 Mangoes and bananas are my favorite fruits.
　　　❶　　　　　　　　　❷ 동사

구문: ❷ ____명사구____ (이)가 주어로 쓰인 문장이다.

해석: 망고와 바나나는 내가 ❸ _____ 과일이다.

2 To exercise is good for our health.
　　　주어 ❶

구문: ❷ _____ (이)가 주어로 쓰인 문장이다.

해석: ❸ _____ 우리의 건강에 좋다.

3 What we found was a useless thing.
　　❶　　　　　　동사

구문: 「What+주어+❷ _____」 형태의 명사절이 주어
로 쓰인 문장이다.

해석: 우리가 발견한 것은 ❸ _____ 물건이었다.

4 It is very interesting to ride a bike.
　　가주어 └동사　　　　　　❶

구문: It은 가주어, ❷ _____ (이)가 진주어이다.

해석: 자전거를 ❸ _____ 매우 재미있다.

LINK WORKBOOK pp. 2~5

Unit 2

목적어 자리에 오는 것

타동사가 쓰인 문장에서 동작의 대상이 되는 말을 '목적어'라고 해요.

명사 대명사	I 나는	wrote 썼다	a letter 편지를	last night. 어젯밤에

동명사 to부정사	We 우리는	finished 끝냈다	making a toy. 장난감을 만드는 것을	

명사절	He 그는	hopes 바란다	that she will come here. 그녀가 이곳에 올 것을	

가목적어와 진목적어	She 그녀는	thinks 생각한다	it 어렵다고	difficult 어렵다고	to build a tower. 탑을 짓는 것이

01 명사, 대명사

① She / read / **your letter** / yesterday. ② He / told / **me** / **his secret**.
　주어　　동사　　목적어(명사)　　　　　　　　　　　주어　　동사　　간접목적어　　　직접목적어

그녀는 / 읽었다 / 너의 편지를 / 어제　　　　그는 / 말해 주었다 / 나에게 / 그의 비밀을

- 명사와 명사구는 동사의 목적어 자리에 올 수 있으며, 목적어는 '~을/~를'로 해석한다.
- 목적격 인칭대명사와 부정대명사는 목적어 자리에 올 수 있다.
- 「주어＋동사＋간접목적어＋직접목적어」 형태의 4형식 문장에서 간접목적어는 '~에게'로, 직접목적어는 '~을/~를'로 해석한다.

바로 예문 영어와 우리말에서 목적어 찾기

1 Ted gave us bookmarks yesterday.　　　　Ted는 어제 우리에게 책갈피를 주었다.

2 Ms. Preston helped me in the U.S.　　　　Preston 부인은 미국에서 나를 도와주었다.

3 In the cold winter, I met Willy in London.　추운 겨울에 나는 런던에서 Willy를 만났다.

4 I bought a piece of clothing for my grandmother.　나는 나의 할머니를 위해 한 벌의 옷을 샀다.

바로 훈련 목적어에 밑줄을 긋고, 문장을 해석하시오.

5 Mother Teresa helped them study at school.

　》 _____

6 Why don't we go out and have some noodles?

　》 _____

7 I prepared something special for all of you here.

　》 _____

8 Would you answer the e-mail as soon as possible?

　》 _____

9 Has Robin experienced anything strange in the Amazon?

　》 _____

Words

bookmark 책갈피
a piece of 한 벌의
noodle 국수
prepare 준비하다
as soon as possible
가능한 한 빨리
experience 경험하다

02 동명사, to부정사

① She / finished / **cooking dinner**.
주어   동사   목적어(동명사구)

그녀는 / 끝냈다 / 저녁을 요리하는 것을

② He / likes / **to eat something sweet**.
주어   동사   목적어(to부정사구)

그는 / 좋아한다 / 단것을 먹기를

• 동명사와 to부정사는 동사의 목적어 자리에 올 수 있으며, '~하는 것을/~하기를'과 같이 해석할 수 있다.

동명사가 목적어로 오는 동사	avoid, enjoy, finish, keep, mind, quit, stop
to부정사가 목적어로 오는 동사	agree, decide, expect, plan, refuse, want

바로예문   영어와 우리말에서 목적어 찾기

1   I decided to leave for California.   나는 캘리포니아로 떠나기로 결심했다.

2   Dad quit smoking ten years ago.   아빠는 10년 전에 담배를 피우는 것을 그만두셨다.

3   They refused to refund the money.   그들은 환불하는 것을 거절했다.

4   She could not avoid meeting him.   그녀는 그를 만나는 것을 피할 수 없었다.

바로훈련   목적어로 알맞은 것을 고르고, 문장을 해석하시오.

5   I didn't expect get / to get to the airport so late.

   » _____

6   Ann began keep / to keep a diary from yesterday.

   » _____

7   We are planning have / to have an outdoor wedding.

   » _____

8   He kept making / to make movies and became a famous director.

   » _____

9   Would you mind adding / to add some dressing on this salad?

   » _____

Words

refuse 거절하다
refund 환불하다
avoid 피하다
keep a diary 일기를 쓰다
outdoor 야외의
director 감독
dressing (요리용) 드레싱

1 밑줄 친 It[it]이 가리키는 대상이 나머지 넷과 다른 것은?

The first computer was a lot different from what we use today. Today's computer is small

최초의 컴퓨터는 오늘날 우리가 사용하는 것과는 매우 달랐다.

and compact, so we can carry ① it everywhere we go. However, the first computer was huge

and heavy, so ② it took up a lot of room. In addition, people couldn't even turn on the

lights, because the computer used up most of the electricity. ③ It easily broke and did not

have **good memory**. However, people used **this huge machine** for various purposes. They

used **it** mainly for wars. ④ It was also used to study spaceships and to forecast weather. It

was used until 1955, and today we can see ⑤ it in a museum.

Words

compact 간편한, 소형의   huge 거대한   take up (시간, 장소를) 차지하다   in addition 게다가   turn on ~을 켜다

electricity 전기   various 다양한   purpose 목적   mainly 주로   spaceship 우주선   forecast 예측[예보]하다

2 다음 글의 목적으로 가장 알맞은 것은?

Dear Ms. Baker,

Hello. I am Ben, the boy living next door to you. Yesterday my friends and I were playing

baseball near your house. After I hit the ball, it accidentally went through one of your

windows. We knew that the window was broken, but we couldn't tell you the truth. Today I

told my parents the truth, and they said that I should apologize and do something good for

you. I am really sorry about my mistake and I think I can help you with your house chores.

Or I can save my spending money and pay you for the broken window. It will take some

time, but I want **to do that**.

Ben

① 새로 이사 왔음을 알리려고   ② 창문 깬 것을 사과하려고

③ 야구공을 되돌려 줄 것을 요청하려고   ④ 부모님께 비밀을 지켜줄 것을 부탁하려고

⑤ 집 근처에서 야구하는 것을 허락 받으려고

Words

accidentally 우연히, 뜻하지 않게   go through ~을 뚫고[빠져] 나가다   truth 진실, 사실   apologize 사과하다
mistake 실수   chore 허드렛일   spending money 용돈

03 명사절

① I / hope / **that you will get better soon**.
　주어　동사　　　　　　목적어(that절)

나는 / 바란다 / 네가 곧 나아지기를

② We / don't know / **when the accident happened**.
　주어　　동사　　　　　　목적어(의문사절)

우리는 / 모른다 / 그 사건이 언제 발생했는지를

- 「that+주어+동사 ~」형태의 명사절은 동사의 목적어 자리에 올 수 있으며, '(that절의 주어)가 ~라는/~하다는 것을'로 해석한다.
- 「what+주어+동사 ~」형태의 명사절은 동사의 목적어 자리에 올 수 있으며, '(what절의 주어)가 ~하는 것을'로 해석한다.
- 「의문사+주어+동사 ~」형태의 의문사절은 동사의 목적어 자리에 올 수 있으며, '누가/언제/어디서/무엇을/어떻게/왜 (주어)가 ~하는지를'로 해석한다.

바로예문　영어와 우리말에서 목적어 찾기

1　This suggests that she was here.
이것은 그녀가 이곳에 있었다는 것을 암시한다.

2　He couldn't decide what he had to do first.
그는 무엇을 먼저 해야 할지를 결정하지 못했다.

3　I cannot understand how he escaped.
나는 그가 어떻게 탈출했는지를 이해할 수 없다.

4　Do you know when the revolution took place?
너는 그 혁명이 언제 일어났는지를 아니?

바로훈련　문장의 목적어에 밑줄을 긋고, 문장을 해석하시오.

5　They felt that the company was hiding something.

　≫ _____

6　I wonder where he will go on summer vacation.

　≫ _____

7　I don't know who the President of the U.S. is.

　≫ _____

8　We couldn't remember when the photographer took a picture of us.

　≫ _____

9　I can't believe that Ron used magic and created a pigeon.

　≫ _____

Words

escape 탈출하다
revolution 혁명
take place 발생하다
hide 숨기다
president 대통령
photographer 사진작가
pigeon 비둘기

04 가목적어와 진목적어

① We / think / **it** / impossible / **to cross the river**.
　주어　동사　가목적어　형용사　　진목적어(to부정사구)

우리는 / 생각한다 / (x) / 불가능하다고 / 그 강을 건너는 것이

② I / make / **it** / a rule / **to keep a diary every day**.
　주어　동사　가목적어　명사　　진목적어(to부정사구)

나는 / 삼고 있다 / (x) / 규칙으로 / 매일 일기를 쓰는 것을

- 「주어+동사+it+형용사/명사+to부정사 ~」로 이루어진 문장에서, it은 가목적어이고 to부정사가 진목적어이다.
- 가목적어 it은 해석하지 않고, 진목적어 to부정사를 it 자리에 넣어 '~하는 것은 …하라고/…하게/…로'라고 해석한다.

바로예문 영어와 우리말에서 진목적어 찾기

1 I believe it possible to find aliens.　　　　나는 외계인을 찾는 것이 가능하다고 믿는다.

2 She thinks it convenient to live in cities.　　그녀는 도시에 사는 것이 편리하다고 생각한다.

3 He found it exciting to travel in New York.　그는 뉴욕을 여행하는 것이 재미있음을 알게 되었다.

4 We took it easy to prepare food for family.　우리는 가족을 위해 음식을 준비하는 것을 쉽게 여겼다.

바로훈련 가목적어 it을 알맞은 곳에 쓰고, 문장을 해석하시오.

5 She will find　　difficult　　to finish　　her task in 24 hours.

　» _____

6 He　　considers　　important　　to have good manners.

　» _____

7 The strong winds　　make　　difficult　　to fly kites.

　» _____

8 You should consider　　serious　　to buy　　a new car.

　» _____

9 People think　　wrong　　to break　　the law.

　» _____

Words

impossible 불가능한
alien 외계인
convenient 편리한
task 일, 과제
consider 여기다, 생각하다
manners 예의
serious 진지한

3 다음 글의 빈칸에 들어갈 말로 가장 알맞은 것은?

Sally <u>had never had</u> any pets before. One day her friend Daniel said **that his pet dog**

Sally는 전에 애완동물을 키워 본 적이 없었다.

gave birth to three puppies a month ago. And he asked Sally if she would keep a puppy.

After hearing this, Sally asked her parents whether she could bring a puppy home or not.

Her parents said, "If you can take care of it yourself, you can raise it." She was very happy for

a while. However, as time went by, she realized that she had lots of things to do for her

puppy. She had to feed it and wash it. Sometimes she needed to walk it in the park. Now,

Sally knows **why her parents said** _____.

① she must not raise the animals

② she should bring all the puppies

③ she had to volunteer at the animal shelter

④ it was not easy to take care of pets

⑤ cats were easier to raise than puppies

Words   pet 애완동물   give birth to ~을 낳다   puppy 강아지   take care of ~을 돌보다   for a while 한동안
go by (시간이) 지나가다, 흐르다   realize 깨닫다   feed 먹이를 주다

4 다음 글에서 필자가 권하는 여행지가 <u>아닌</u> 것은?

Traveling in other countries is always an exciting experience. We can see and learn many

new things. Recently, thanks to many travel stories on the Web and cell phone tour apps, we

can learn much information about other countries. But there are some problems. Many

people go to the same tourist attractions and eat the same food. So, how about taking a tour

of your own theme? You may think **it** hard **to do so**, but it is simple. What about visiting

historical museums or modern art museums? Or going to the cities where famous writers

were born? Visiting your favorite soccer club would also be good. It would be fun, and you

would remember it for a long time. Designing trips around one theme will help you plan

differently.

① 역사박물관   ② 현대 미술관   ③ 유명한 작가의 고향

④ 좋아하는 축구 클럽   ⑤ 유명한 관광 명소

Words travel in ~을 여행하다   recently 최근에   thanks to ~ 덕분에   tour 여행   tourist attraction 관광 명소   theme 주제
historical 역사의   museum 박물관   modern 현대의   design 설계하다, 고안하다

네모 안에서 알맞은 표현을 고르시오.

1 I helped he / him cook dinner.

2 They gave me / my something special yesterday.

3 We finished to do / doing our homework last night.

4 She decided to leave / leaving for England.

5 All of us didn't know that / what we had to do.

6 We felt it / that the government was hiding something.

7 He and I found it / that difficult to finish our task by tomorrow.

8 The heavy rains make it difficult to fly / fying kites.

 구문 분석 노트를 완성하시오.

1 Sam told me the news.
　주어　동사 ❶ ┗직접목적어

구문: 목적어가 2개인 4형식 문장으로 ❷ 명사 (이)가 직접목적어 역할을 하고 있다.

해석: Sam은 나에게 ❸ _____ 말해 주었다.

2 My mother likes to eat something spicy.
　주어　❶　　　　목적어

구문: ❷ _____ (이)가 목적어로 쓰인 문장이다.

해석: 나의 어머니는 ❸ _____ 좋아하신다.

3 We can understand how it works.
　주어　　　동사　　　❶

구문: 「의문사＋주어＋동사」 형태의 ❷ _____ (이)가 목적어로 쓰인 문장이다.

해석: 우리는 그것이 ❸ _____ 이해할 수 있다.

4 She thinks it exciting to travel in Hawaii.
　주어　동사　가목적어　형용사　　❶

구문: it은 가목적어이고, ❷ _____ (이)가 진목적어이다.

해석: 그녀는 화와이를 여행하는 것이 ❸ _____ 생각한다.

LINK › WORKBOOK pp. 6~9

Unit 3

보어 자리에 오는 것

주어와 동사만으로는 뜻이 불완전할 때 뜻을 보충해 주는 말을 '보어'라고 해요.

주격보어	명사 형용사	He 그는	is ~이다	a teacher. 선생님

	동명사 to부정사	My plan for the year 나의 올해 계획은	is ~이다	to make many friends. 많은 친구를 사귀는 것

	명사절	The problem 문제는	is ~이다	that we lost the bag. 우리가 가방을 잃어버렸다는 것

목적격보어	명사 형용사 to부정사	She 그녀는	made 만들었다	him 그를	a brave soldier. 용감한 군인으로

01 주격보어 I: 명사, 형용사

① She / is / **tired** / because of the exam.
　　주어　　동사　　주격보어(형용사)

그녀는 / ~이다 / 피곤한 / 시험 때문에

② Mike / became / **a lawyer** / after six years of study.
　　주어　　　동사　　　주격보어(명사)

Mike는 / 되었다 / 변호사가 / 6년간의 공부 후에

- 명사가 be동사나 become 등의 동사 뒤에 쓰여 주어의 지위나 자격 등을 나타낼 때는 '~이다/~가 되다'로 해석한다.
- 형용사가 동사 뒤에 쓰여 주어의 상태를 나타낼 때는 동사에 따라 「be동사＋형용사」는 '~하다', 「become/get/go/grow＋형용사」는 '~해지다', 「feel/look/smell/sound/taste＋형용사」는 '(감촉/생김새/냄새/소리/맛)이 ~하다'로 해석한다.

바로예문 영어와 우리말에서 보어 찾기

1 Jessica's husband is kind and polite.
　　　　　　　　　　　　　　　　　　　　　Jessica의 남편은 친절하고 예의 바르다.

2 Today's topic is alternative energies.
　　　　　　　　　　　　　　　　　　　　　오늘의 주제는 대체 에너지이다.

3 This fresh bread tastes delicious.
　　　　　　　　　　　　　　　　　　　　　이 갓 구운 빵은 맛있다.

4 Christmas is one of my favorite holidays.
　　　　　　　　　　　　　　　　　　　　　성탄절은 내가 가장 좋아하는 휴일 중 하나이다.

바로훈련 보어에 밑줄을 긋고, 문장을 해석하시오.

5 This hat doesn't look good on you.

　》 _____

6 The early morning air in the forest felt fresh.

　》 _____

7 All of us were so excited to hear the news.

　》 _____

8 The best novel that I have ever read is *The Great Gatsby*.

　》 _____

9 One common thing between Dad and me was our hair color.

　》 _____

Words

lawyer 변호사
polite 예의 바른, 공손한
alternative 대체의
holiday 휴일
novel 소설
common 공통의

02 주격보어 II: 동명사, to부정사

① My favorite activity / is / **riding a bicycle near the river**.
　　주어　　　　　　동사　　　주격보어(동명사구)

내가 가장 좋아하는 활동은 / ~이다 / 강가에서 자전거를 타는 것

② One difficult thing at school / was / **to make friends**.
　　주어　　　　　　　　동사　　주격보어(to부정사구)

학교에서 어려운 한 가지는 / ~이었다 / 친구들을 사귀는 것

• 「동사원형＋-ing」 형태의 동명사와 「to＋동사원형」 형태의 to부정사는 be동사 뒤에서 주어를 보충 설명할 수 있다.
• 주격보어로 쓰인 동명사와 to부정사는 be동사와 함께 '~하는 것이다/~하기이다'로 해석한다.

바로예문 영어와 우리말에서 보어 찾기

1 His job is taking care of patients.　　　　　그의 직업은 환자들을 돌보는 것이다.

2 My dream is to become a famous writer.　　나의 꿈은 유명한 작가가 되는 것이다.

3 The next step is carrying these upstairs.　　다음 단계는 위층으로 이것들을 나르는 것이다.

4 The rule of the game is not to speak Korean.　그 게임의 규칙은 한국어로 말하지 않는 것이다.

바로훈련 보어로 알맞은 것을 고르고, 문장을 해석하시오.

5 What I want to do now is eats / eating delicious snacks.

  ≫ _____

6 Our last choice was taken / taking a boat to the island.

  ≫ _____

7 What you shouldn't do is to playing / playing the piano until late.

  ≫ _____

8 The athlete's goal is win / to win a gold medal.

  ≫ _____

9 The most fun activity in the zoo was feed / to feed the dolphins.

  ≫ _____

Words

carry 나르다
upstairs 위층으로
snack 간식
choice 선택
athlete 운동선수
activity 활동
dolphin 돌고래

1 다음 글의 내용과 일치하지 <u>않는</u> 것은?

Mexicans really <u>enjoy</u> eating corn. They have grown this grain for thousands of years,

멕시코 사람들은 옥수수 먹는 것을 무척 좋아한다.

and it has become **their main food**. Nachos and tacos are two Mexican foods made from

corn. Nachos are thin fried chips made from corn powder. They are often eaten with

cheddar cheese and salsa. While nachos are served as a snack, tacos are enjoyed as meals.

Tacos are made with tortillas. Tortillas are thin pieces of Mexican bread made from corn or

wheat. They are rolled with various fillings, like beef, chicken, vegetables and cheese. These

two Mexican foods are **very popular** all around the world.

① 옥수수는 멕시코 사람들의 주식이다.

② 나초와 타코 둘 다 옥수수로 만든다.

③ 타코는 간식용이지만 나초는 식사용이다.

④ 토르티야는 옥수수나 밀로 만든다.

⑤ 나초와 타코 둘 다 전 세계적으로 인기가 많다.

Words corn 옥수수 **grain** 곡물 **powder** 가루, 분말 **serve** (음식을) 제공하다 **meal** 식사, 끼니 **tortilla** 토르티야
wheat 밀 **filling** (음식물의) 소, 충전물 **popular** 인기 있는

2 다음 글의 빈칸에 들어갈 말로 가장 알맞은 것은?

World Heritage Sites are listed by UNESCO every year. In 2018, the number of World Heritage Sites was 1,092, and 167 countries have at least one of these sites. The reason why UNESCO names World Heritage Sites is **to protect those places**. There are two kinds of World Heritages: Cultural Heritages and Natural Heritage Sites. World Cultural Heritages are mostly creative art works which are important in our history. _____, ancient buildings or famous writers' literary works can belong to this category. Natural Heritage Sites are usually places which are surprisingly beautiful or have unique landscapes. One good reason for naming a place a Natural Heritage Site is **to save endangered animals**.

① Finally   ② However   ③ Instead   ④ For example   ⑤ In addition

Words   heritage 유산   site 장소, 유적   at least 최소한, 적어도   protect 보호하다   mostly 주로   ancient 고대의
literary 문학의   unique 독특한   landscape 풍경   endangered 멸종 위기에 처한

03 주격보어 Ⅲ: 명사절

① The problem / is / **that we don't have enough money**.
　　주어　　　동사　　　주격보어(that절)

문제는 / ~이다 / 우리가 충분한 돈을 가지고 있지 않다는 것

② This / is / **what you ordered for lunch**.
　주어　동사　　　주격보어(what절)

이것은 / ~이다 / 네가 점심으로 주문했던 것

- that으로 시작하는 명사절은 「be동사+that절」의 형태로 주격보어 역할을 할 수 있으며, '(that절의 주어)가 ~하다는 것이다'로 해석한다.
- what으로 시작하는 명사절은 「be동사+what절」의 형태로 주격보어 역할을 할 수 있으며, '(what절의 주어)가 ~한 것이다'로 해석한다.

바로예문 영어와 우리말에서 보어 찾기

1　This wallet is what he lost a week ago.　　　　이 지갑은 그가 일주일 전에 잃어버린 것이다.

2　The fact is that he gave up the game.　　　　사실은 그가 그 경기를 포기했다는 것이다.

3　That is exactly what I want to know.　　　　그것이 바로 내가 알고 싶은 것이다.

4　The good news is that they are still alive.　　좋은 소식은 그들이 여전히 살아 있다는 것이다.

바로훈련 문장의 보어 앞에 '/' 표시를 하고, 문장을 해석하시오.

5　This necklace is what I gave her 10 years ago.

　》 _____

6　A mystery is that the spaceship disappeared one night.

　》 _____

7　Those sandals are exactly what I have been looking for!

　》 _____

8　Her rude attitude was what I couldn't stand at that time.

　》 _____

9　The best thing about the trip was that we could enjoy seafood.

　》 _____

Words

order 주문하다
alive 살아 있는
necklace 목걸이
disappear 사라지다
attitude 태도
stand 참다, 견디다

04 목적격보어: 명사, 형용사, to부정사

① His father / made / him / **a doctor**.
　　주어　　　동사　　목적어　　목적격보어(명사)

그의 아버지는 / 만들었다 / 그를 / 의사로

② He / advised / me / **to do it**.
　주어　　동사　　목적어　목적격보어(to부정사구)

그는 / 조언했다 / 내게 / 그것을 하라고

- 목적어 뒤에 쓰인 명사는 목적어의 지위나 자격 등을 나타내며, '(목적어)를 ~라고/~로'라고 해석한다.
- 목적어 뒤에 쓰인 형용사는 목적어의 상태를 나타내며, '(목적어)를 ~하게/(목적어)가 ~하다고'로 해석한다.
- to부정사는 타동사 advise, allow, ask, expect, tell, want 등의 목적어 뒤에서 목적어의 동작을 나타낸다. 「목적어 +to부정사」는 주로 '(목적어)가 ~하기를/~하는 것을'로 해석한다.

바로 예문 영어와 우리말에서 목적격보어 찾기

1 I named the newborn kitten Sarang.
　나는 갓 태어난 새끼 고양이를 사랑이라고 이름 지었다.

2 You will find it boring at once.
　너는 그것이 따분하다는 것을 즉시 알게 될 것이다.

3 She expected him to be a professor.
　그녀는 그가 교수가 될 거라고 기대했다.

4 He told me never to do it.
　그는 내게 그것을 절대 하지 말라고 말했다.

바로 훈련 목적어 또는 목적격보어로 알맞은 것을 고르고, 문장을 해석하시오.

5 The students chose his / him their class leader.

　» _____

6 My classmates call me / my "Walking Dictionary."

　» _____

7 This blanket will keep you warm / warmly in very cold weather.

　» _____

8 They asked us not go / to go inside the yellow line.

　» _____

9 His parents didn't allow Jake enter / to enter the talent show.

　» _____

Words

newborn 갓 태어난
kitten 새끼 고양이
at once 즉시
expect 기대하다
professor 교수
blanket 담요
talent show 장기 자랑

3 다음 글에서 전체 흐름과 관계 <u>없는</u> 문장은?

<u>Can</u> you <u>imagine</u> the Arctic without polar bears? The ice covering the Arctic is now

여러분은 북극곰이 없는 북극을 상상할 수 있는가?

melting because of global warming. The result is **that polar bears hardly find enough food**

to eat, and many starve to death. ① Polar bears usually eat seals which eat small fish under

the sea. ② These small fish eat plankton, which are tiny living things underwater. ③ As the

water gets warmer, this plankton no longer can live in the Arctic. ④ Soon small fish begin to

disappear, and then seals start to die. ⑤ Another reason for seals' death is **that human**

hunters kill many of them. Thus, polar bears, who need to eat seals to survive, are also

endangered now.

Words	the Arctic 북극 polar bear 북극곰 melt 녹다 global warming 지구온난화 hardly 거의 ~ 아니다 starve 굶주리다
	seal 바다표범 tiny 아주 작은 no longer 더 이상 ~ 아니다 hunter 사냥꾼

4 (A), (B), (C)의 각 네모 안에서 어법에 맞는 표현으로 가장 알맞은 것은?

Tony's problem was (A) writing / written English essays. When his teacher told him **to**

hand in another writing assignment last class, Tony almost cried. His classmate Chris saw

this and asked, "What's wrong, Tony? You look so sad." "I'm very poor at writing English

essays. Last time, I got a D," said Tony. "Oh, (B) why / how don't you join our English

writing club? We write English essays every week and share opinions about (C) it / them .

Our club can help you," said Chris. "What a brilliant idea! I've never thought about joining a

writing club. Thank you so much!" said Tony and he became a member of the club. After

five weeks, Tony got his first A⁺ on his English essay.

	(A)	(B)	(C)		(A)	(B)	(C)
①	writing	how	it	②	writing	why	them
③	writing	how	them	④	written	why	it
⑤	written	how	them				

Words essay 수필, 글 hand in 제출하다 assignment 과제 be poor at ~을 못하다 share 공유하다, 나누다 opinion 의견
brilliant 훌륭한, 멋진

네모 안에서 알맞은 표현을 고르시오.

1 This cake tastes very delicious / deliciously .

2 What I want to do now is to play / plays the piano.

3 Our choice is buy / buying an purple umbrella.

4 The fact is it / that she gave up the project.

5 These shoes are exactly when / what we have been looking for.

6 His classmates elected his / him their class president.

7 Her mother made she / her a great artist.

8 She asked us not to leave / leaving the safety zone.

 구문 분석 노트를 완성하시오.

1 Her husband is kind and polite.
   ❶   동사   주격보어

구문: ❷ 형용사구 (이)가 be동사 뒤에서 주격보어 역할을 하고 있다.

해석: 그녀의 남편은 ❸   예의 바르다.

2 My job was taking care of pet dogs.
   주어 ❶   주격보어

구문: ❷   (이)가 주격보어로 쓰인 문장이다.

해석: 나의 일은 애완견을 ❸   이었다.

3 The good news is that he came home.
   주어   동사   ❶

구문: ❷   (이)가 주어를 보충 설명하고 있다.

해석: 좋은 소식은 그가 집에 ❸   이다.

4 He calls his son "a plum."
   주어 동사 목적어 ❶

구문: ❷   (이)가 목적어를 보충 설명하고 있다.

해석: 그는 ❸   '자두'라고 부른다.

LINK > WORKBOOK pp. 10~13

Unit 4

시제

어떤 사건이나 행동이 일어난 때를 나타내는 말을 시제라고 해요.

현재진행 과거진행	She 그녀는	is reading 읽고 있다	a book. 책을	
현재완료	I 나는	have lost 잃어버렸다	my dictionary. 나의 사전을	
과거완료	He 그는	had left 떠났다	before I came home. 내가 집에 돌아오기 전에	
미래시제 미래진행	We 우리는	will visit 방문할 것이다	the nursing home 양로원을	tomorrow. 내일

01 현재진행, 과거진행

① She / **is cleaning** / the window.
　　　　현재진행(is + 동사원형 -ing)
그녀는 / 닦고 있다 / 창문을

② We / **were climbing** / the mountain / at that time.
　　　　과거진행(were + 동사원형 -ing)
우리는 / 오르고 있었다 / 산을 / 그 당시에

- 현재진행은 「am/is/are + 동사원형-ing」 형태로, 현재 진행 중인 동작을 나타내며 '~하고 있다/~하는 중이다'로 해석한다.
- 과거진행은 「was/were + 동사원형-ing」 형태로, 과거의 어느 시점에 진행 중인 동작을 나타내며 '~하고 있었다/~하는 중이었다'로 해석한다.

바로예문 영어와 우리말에서 현재진행 또는 과거진행 표현 찾기

1 She is talking on the phone now.
그녀는 지금 전화로 이야기하고 있다.

2 At that time he was traveling in Australia.
그 당시에 그는 호주를 여행하고 있었다.

3 The phone rang while we were eating dinner.
우리가 저녁을 먹던 중에 전화벨이 울렸다.

4 Children are running around on the playground.
아이들이 운동장에서 뛰어다니고 있다.

바로훈련 현재진행 또는 과거진행 표현에 밑줄을 긋고, 문장을 해석하시오.

5 I am looking for my wallet now.

　» _____

6 What were you doing around nine o'clock last night?

　» _____

7 Grace is reading the story about the writer's childhood.

　» _____

8 My sisters and I were mopping the stairs.

　» _____

9 When I arrived in Busan, he was waiting for me.

　» _____

Words
climb 오르다
ring (종, 벨 등이) 울리다
playground 운동장
childhood 어린 시절
mop (대걸레로) 닦다

02 현재완료

① We / **have known** / each other / since 2018.
   현재완료(have + p.p.)

   우리는 / 알아 왔다 / 서로를 / 2018년부터

② My mother / **has lost** / her earrings.
   현재완료(has + p.p.)

   나의 어머니께서는 / 잃어버리셨다 / 그녀의 귀걸이를

- 현재완료는 「have/has + 과거분사(p.p.)」 형태로 과거에 일어난 일이 현재까지 영향을 끼치고 있음을 나타낸다.
- 현재완료는 문맥에 따라 경험(~한 경험이 있다), 완료((막) ~했다), 계속(~해 왔다), 결과(~해 버렸다)의 의미를 나타낸다.

바로예문 영어와 우리말에서 현재완료 표현 찾기

1 I have been to Europe once.   나는 유럽에 한 번 가 본 적이 있다. 〈경험〉

2 She has just finished her homework.   그녀는 방금 숙제를 끝냈다. 〈완료〉

3 Lucas has worked here for ten years.   Lucas는 이곳에서 10년 동안 일을 해 왔다. 〈계속〉

4 I have left my umbrella at home.   나는 우산을 집에 두고 와 버렸다. 〈결과〉

바로훈련 현재완료 표현으로 알맞은 것을 고르고, 문장을 해석하시오.

5 My best friend Jason have / has gone to Spain.

   » _____

6 Have you ever write / written an English article before?

   » _____

7 I haven't decide / decided what to order for dessert yet.

   » _____

8 Haven't we meet / met before? You look familiar to me.

   » _____

9 She have / has learned Chinese for years.

   » _____

Words
earrings 귀걸이
leave ~을 두고 오다
article (신문 등의) 글, 기사
dessert 후식
familiar 익숙한, 낯익은

✔ 구문 강화 훈련
1 글을 읽으며 동사에 밑줄 긋기
2 문장 끊어 읽으며 해석하기

1 다음 글의 제목으로 가장 알맞은 것은?

Minseo's hobby is playing the drums. But she is a little different from other drum lovers.

민서의 취미는 드럼을 연주하는 것이다.

She **is broadcasting** her drum-playing videos on the Web these days. Her videos have

500,000 viewers, and she **has become** a famous drummer. The case of Minseo is one

example of personal broadcasting. Personal broadcasting means that an individual broadcaster

creates his or her own content with a camera or a smartphone. The content is diverse, not

only music or computer games but also beauty and education, and even eating food! From

young people to old men, anybody who has a camera or a smartphone can do personal

broadcasting. How about you? You can make your own program that suits your taste!

① Playing the Drums: A Popular Hobby

② Smartphones: What Broadcasters Need

③ A New Trend: Personal Broadcasting

④ What Makes Your Broadcasting Attractive?

⑤ How to Create a Good Program

Words　be different from ~와 다르다　broadcast 방송하다　viewer 보는 사람, 구독자　personal 개인의
individual 개인의, 각각의　create 창작하다　diverse 다양한　suit ~에게 맞다　taste 취향

2 글의 흐름으로 보아 주어진 문장이 들어가기에 가장 알맞은 곳은?

> Here are some tips to protect your hearing.

Nowadays, most students **have developed** a habit of watching videos, playing computer games, or listening to music. They all use earphones. (①) As a result of this, many students are at risk of hearing loss. Then what should we do? (②) First, find out if your video or music <u>is</u> at a safe volume: Ask people sitting near you if they can hear your music.

(③) If they can, it's a sign that your hearing is being damaged. Turn the volume down until other people can no longer hear it. (④) And you should limit the amount of time you spend with earphones in your ears to 60 minutes. (⑤) Also, you should not go to sleep listening to music.

Words   nowadays 요즘에는   develop (습관 따위를) 익히다   habit 습관   as a result of ~의 결과로   at risk of ~의 위험에 처한
hearing loss 청력 손실   find out 알아내다   damage 손상을 주다   limit 제한하다   amount 양

03 과거완료

① She / **had** just **finished** / cleaning her room / when I came home.
   _{과거완료(had + p.p.)}
   그녀는 / 막 끝냈다 / 그녀의 방 청소를 / 내가 집에 왔을 때

② I / was surprised / that he **had sold** / his beloved bicycle.
   _{과거완료(had + p.p.)}
   나는 / ~에 놀랐다 / 그가 팔았다는 것 / 그가 아끼던 자전거를

- 과거완료는 「had + p.p.」 형태로 과거의 어느 시점보다 먼저 일어난 일을 나타낸다.
- 과거완료는 '대과거'라고도 하며, 주로 과거의 시간적 순서를 강조할 때 쓴다.

바로예문 영어와 우리말에서 과거완료 표현 찾기

1 Your mother said you had already left.
   네 어머니는 네가 이미 떠났다고 말씀하셨다.

2 I found my pet that I had lost last week.
   나는 지난주에 잃어버렸던 내 애완동물을 찾았다.

3 Lucy told him that she had been to London.
   Lucy는 런던에 가 봤다고 그에게 말했다.

4 He had lived here for five years before I met him.
   내가 그를 만나기 전에 그는 이곳에 5년 동안 살았다.

바로훈련 과거완료 표현에 밑줄을 긋고, 문장을 해석하시오.

5 He had tried to call me before I left for vacation.

   » _____

6 She found somebody had broken into her house.

   » _____

7 Before the car was invented, people had used horses.

   » _____

8 Horace said that he had worked as a police officer before.

   » _____

9 I have lived in Seoul for a year, but I had lived in Busan before that.

   » _____

Words
beloved 아끼는
leave 떠나다
vacation 휴가
break into ~에 침입하다
invent 발명하다

04 미래시제, 미래진행

① That art museum / **will open** / this weekend.
<u>미래(will + 동사원형)</u>

저 미술관은 / 문을 열 것이다 / 이번 주말에

② The orchestra / **will be starting** / to play / then.
<u>미래진행(will be + 동사원형-ing)</u>

관현악단은 / 시작하고 있을 것이다 / 연주하기를 / 그때

- 미래시제는 「will/be going to + 동사원형」 형태로, 미래에 일어날 일을 나타내며 '~할 것이다'로 해석한다.
- 미래진행은 「will be + 동사원형-ing」의 형태로, 미래에 진행될 일을 예측할 때 쓰며 '~하고 있을 것이다'로 해석한다.

바로예문 영어와 우리말에서 미래 또는 미래진행 표현 찾기

1 People will travel in space in 50 years. 사람들은 50년 후에 우주를 여행할 것이다.

2 She is going to see a dentist next Monday. 그녀는 다음 주 월요일에 치과에 갈 것이다.

3 Ron won't come to the meeting this Friday. Ron은 이번 금요일 회의에 오지 않을 것이다.

4 They will be singing the song next year. 그들은 내년에 그 노래를 부르고 있을 것이다.

바로훈련 미래 또는 미래진행 표현으로 알맞은 것을 고르고, 문장을 해석하시오.

5 I am not going eat / to eat lunch in the local restaurant.

» _____

6 The students are going attend / to attend the English camp.

» _____

7 He will put / to put off his departure because of the heavy rains.

» _____

8 Sea turtles won't reach / to reach the shore because of wild waves.

» _____

9 We will be fly / flying to Italy at this time the day after tomorrow.

» _____

Words

orchestra 관현악단
local 지역의
attend 참석하다
put off 미루다
departure 출발
shore 해안
wave 파도

◉ 구문 강화 훈련
1 글을 읽으며 동사에 밑줄 긋기
2 문장 끊어 읽으며 해석하기

3 다음 글의 밑줄 친 부분 중, 어법상 틀린 것은?

Mozart and Beethoven <u>were</u> very different in their lives and music. Mozart was a musical

모차르트와 베토벤은 그들의 인생과 음악에 있어서 무척 달랐다.

genius from an early age. His father, who ① <u>had also been</u> a musician, took him

② <u>to Europe</u> to make him a great musician. Mozart started ③ <u>writing</u> music at 5, and he

made many calm and beautiful pieces of music. On the other hand, Beethoven was not a

genius like Mozart. His father taught him ④ <u>to play</u> the piano to make money. After he

became a great pianist, he ⑤ <u>had gotten</u> an ear disease. He couldn't hear well, but he

passionately concentrated only on music. As a result, he created many powerful and

passionate pieces of music.

Words　genius 천재　musician 음악가　calm 평온한, 차분한　piece (음악, 미술 등의) 작품　on the other hand 반면에
make money 돈을 벌다　disease 병　passionately 열정적으로　concentrate 집중하다

4 다음 글의 분위기로 가장 알맞은 것은?

Tomorrow, our family is finally leaving for Guam! It is a beautiful island in the Pacific, and many travelers visit there for vacation. My sister and I have been busy packing since morning. Ah! I forgot to buy sunglasses and sunscreen! Because it **will be** very hot on the island, without them, I **will have to stay** in the hotel. Dad is packing his fishing pole and camera. He is very excited thinking about just fishing on a boat all day long. Mom is on the phone checking our schedule once again. Tomorrow afternoon, all of us **will be flying** to Guam!

① 슬픔 ② 평온함 ③ 분주함 ④ 긴장감 ⑤ 따분함

Words finally 마침내, 드디어   island 섬   Pacific 태평양   traveler 관광객, 여행자   pack (짐을) 싸다   sunscreen 선크림
stay 머무르다   fishing pole 낚싯대   be on the phone (전화로) 통화 중이다   schedule 일정

네모 안에서 알맞은 표현을 고르시오.

1 He reading / is reading the book about World War II.

2 Her children was clean / were cleaning the house.

3 I haven't decide / decided what to do this weekend.

4 Jamie and I have knew / known each other since 2018.

5 Junsu said that he has been / had been to Beijing last winter.

6 Alex said that he has / had worked as a book designer before.

7 The hospital opened / will open next Wednesday.

8 The band will be start / starting to perform at this time tomorrow.

 구문 분석 노트를 완성하시오.

1 She is climbing the ladder.
        ❶
      is +

구문: 현재 진행 중인 동작을 나타내는 ❷ 현재진행형 (이)가 쓰였다.

해석: 그녀는 사다리를 ❸   .

2 He has lost his favorite book.
        ❶
      has +

구문: 과거에 일어난 일이 현재에 미치는 '결과'를 나타내는 ❷ (이)가 쓰였다.

해석: 그는 그가 가장 좋아하는 책을 ❸   .

3 We had finished it before the bell rang.
      ❶   + p.p.

구문: 과거의 어느 시점보다 먼저 일어난 일을 나타내는 ❷ (이)가 쓰였다.

해석: ❸   우리는 그것을 끝냈다.

4 I will be flying to L.A. tomorrow afrernoon.
  ❶   be + 동사원형-ing

구문: 미래에 진행될 일을 예측하는 ❷ (이)가 쓰였다.

해석: 나는 내일 오후에 L.A.로 ❸

LINK > WORKBOOK pp.14~17

Unit 5

조동사

조동사는 동사 앞에서 다양한 의미를 더해 줘요.

능력, 가능, 부탁	She 그녀는	can play 연주할 수 있다	the piano. 피아노를	
의무, 필요, 충고	You 너는	must come 와야 한다	here 이곳에	by 5 o'clock. 5시까지
허락, 추측	You 당신은	can leave 떠나도 된다	the office 사무실을	early today. 오늘 일찍
과거의 습관 및 기타 표현	He 그는	would read 읽곤 했다	books 책을	in this place. 이곳에서

01 능력, 가능, 부탁

① Sally / **can** swim / in the sea.
　　　　　　능력(can + 동사원형)

Sally는 / 수영을 할 수 있다 / 바다에서

② **Can** you pass / me / the salt, / please?
　　　부탁(Can + 주어 + 동사원형 …?)

네가 건네줄래 / 내게 / 그 소금을 / 부디

- can, be able to는 능력이나 가능을 나타내며 '~할 수 있다'로 해석한다.
- 「Can/Will you + 동사원형 …?」은 가벼운 부탁을 나타내며 '~해 줄래?'로 해석한다.
- 「Could/Would you + 동사원형 …?」은 공손한 부탁을 나타내며 '~해 주시겠습니까?'로 해석한다.

바로예문 우리말 해석 완성하기

1　I can hold my breath for two minutes.
　　나는 2분 동안 숨을 ____참을 수 있다____ .

2　She is able to catch fish with her bare hands.
　　그녀는 맨손으로 물고기를 _____ .

3　Will you give me a second chance?
　　나에게 기회를 한 번 더 _____ ?

4　Could you tell me where the city hall is?
　　시청이 어디에 있는지 저에게 _____ ?

바로훈련 조동사에 밑줄을 긋고, 문장을 해석하시오.

5　Can you give me a glass of water?

　　≫ _____

6　Would you give me a ride to the station?

　　≫ _____

7　Jerry was not able to solve the math problem.

　　≫ _____

8　They could not travel to Peru last winter.

　　≫ _____

9　I cannot speak good Chinese but can speak English well.

　　≫ _____

Words

salt 소금
hold one's breath
숨을 참다
bare 맨~, 벌거벗은
city hall 시청
give a ride 차로 태워 주다
solve 풀다, 해결하다

02 의무, 필요, 충고

① You / **must** take / the after-school English class.
  의무(must + 동사원형)

너는 / 들어야 한다 / 방과 후 영어 수업을

② She / **has to** wait for / her cousin / at the airport.
  필요(have/has to + 동사원형)

그녀는 / 기다려야 한다 / 그녀의 사촌을 / 공항에서

- must, have/has to, should는 의무, 필요를 나타내며 '~해야 한다'라고 해석한다.
- should는 충고를 나타내어 '~하는 것이 좋겠다'로 해석할 수도 있다.

바로예문 영어와 우리말에서 조동사와 동사 찾기

1 Our staff members <u>must wear</u> white caps.
우리 직원들은 흰색 모자를 <u>써야 한다</u>.

2 He has to submit his term papers today.
그는 오늘 그의 학기말 보고서를 제출해야 한다.

3 Students should follow the school policy.
학생들은 학교 정책을 따라야 한다.

4 You should take a break for a while.
너는 잠시 휴식을 취하는 게 좋겠다.

바로훈련 조동사와 동사의 형태로 알맞은 것을 고르고, 문장을 해석하시오.

5 I have be / to be in the office by 7 a.m.

   » _____

6 Olivia should take / taken medicine for her headache.

   » _____

7 You should go and see / to see a doctor for your bad cold.

   » _____

8 Drivers must yield / to yield to emergency vehicles.

   » _____

9 Firefighters must wear / wearing their helmets when they work.

   » _____

Words

staff 직원

submit 제출하다

term paper 학기말 보고서

policy 정책

medicine 약

yield (도로에서) 양보하다

vehicle 차량, 탈것

1 다음 글의 밑줄 친 부분 중, 어법상 틀린 것은?

Pearl Harbor <u>was</u> a peaceful place in Hawaii where a U.S. navy base <u>was built</u>. All the

진주만은 미국 해군 기지가 들어서 있는 하와이의 평화로운 곳이었다.

soldiers could ① <u>enjoying</u> the nice weather and beautiful beaches of Hawaii. But one fine

Sunday morning in 1941, the Japanese army ② <u>attacked</u> this harbor suddenly. Nobody knew

of their plan, so most of the soldiers ③ <u>had left</u> the base for the weekend. The result was

④ <u>terrible</u>. When the soldiers came back to the base and fought, they ⑤ <u>couldn't</u> beat the

Japanese army. Most of their ships and planes were destroyed, and many people died. The

U.S. was very angry about Japan's attack and this brought the U.S. into World War II.

Words harbor 항만, 항구   peaceful 평화로운   navy 해군   base (군사) 기지   soldier 군인   army 군대
attack 공격; 공격하다   suddenly 갑자기   result 결과   beat 이기다   destroy 파괴하다   bring A into B A를 B로 불러들이다

2 다음 글의 분위기로 가장 알맞은 것은?

One very cold day in January, an old woman was brought to a judge with the crime of stealing bread. The woman said that her grandchildren were starving, and she had no money to pay for the bread. The judge turned to her and said, "I know you did it for your grandchildren, but you **must** not break the law. Your punishment is ten dollars or ten days in jail." Then, he pulled out a bill and added, "Here is the ten-dollar fine for you. Besides, I'll fine everyone here in this court fifty cents, because you live in a town where a person **has to** steal bread for her grandchildren. Officer! Collect the fines and give them to the woman."

"You can go home now," he said to the woman. The judge was Fiorello La Guarida who was elected as mayor of New York three times.

① lively and festive   ② calm and peaceful   ③ scary and fearful

④ touching and instructive   ⑤ sorrowful and miserable

Words

judge 판사   crime 범죄   steal 훔치다   grandchild 손주   punishment 벌, 처벌   jail 감옥   pull out 꺼내다
bill 지폐   fine 벌금; 벌금을 부과하다   court 법정, 법원   collect 모으다   elect 선출하다   mayor 시장

03 허락, 추측

① You / **can** go / to the singer's concert / this Sunday.
   허락(can + 동사원형)
   너는 / 가도 된다 / 그 가수의 공연에 / 이번 일요일에

② He / **may** be / our homeroom teacher.
   추측(may + 동사원형)
   그는 / ~일지도 모른다 / 우리 담임 선생님

- can, may는 허락이나 허가를 나타내며 '~해도 된다'로 해석한다.
- may, might는 약한 추측을 나타내며 '~할지도 모른다/~일지도 모른다'로 해석한다.
- 강한 추측을 나타내는 표현으로는 must(~임에 틀림없다), cannot(~일 리 없다)이 있다.

바로예문 영어와 우리말에서 조동사와 동사 찾기

1 May I ask you a question?   제가 질문을 하나 해도 될까요?

2 She cannot be there today.   그녀는 오늘 그곳에 있을 리 없다.

3 Can I drink a little more lemonade?   제가 레모네이드를 조금 더 마셔도 될까요?

4 Your purse might be in the living room.   네 지갑은 거실에 있을지도 모른다.

바로훈련 조동사와 동사에 밑줄을 긋고, 문장을 해석하시오.

5 That cannot be her real name.

   ≫ _____

6 It may not be sunny this afternoon.

   ≫ _____

7 The missing dog must be in the park.

   ≫ _____

8 All of you may propose a new plan for the project.

   ≫ _____

9 A clown might come to my little brother's birthday party.

   ≫ _____

Words

homeroom teacher
담임 선생님
purse (여성용) 지갑, 핸드백
real 진짜의
propose 제안하다
clown 광대

04 과거의 습관 및 기타 표현

① He / **would** sit / for hours / on the bench.
   과거의 습관(would + 동사원형)
   그는 / 앉아 있곤 했다 / 몇 시간 동안 / 의자에

② I / **would like to** drink / a glass of iced tea.
   바람, 소망(would like to + 동사원형)
   나는 / 마시고 싶다 / 한 잔의 아이스티를

- would, used to는 과거의 습관을 나타내며 '~하곤 했다'로 해석한다.
- would like to는 바람, 소망을 나타내며 '~하고 싶다'로 해석한다.
- had better는 충고를 나타내며 '~하는 것이 낫다'로 해석한다.

바로예문 우리말 해석 완성하기

1 He used to take a walk in the morning.   그는 아침에 ___산책을 하곤 했다___ .

2 She would like to eat something sweet.   그녀는 단것이 _____ .

3 I would always go to the beach.   나는 항상 해변에 _____ .

4 You had better rest for a while.   너는 잠시 _____ .

바로훈련 조동사와 동사의 형태로 알맞은 것을 고르고, 문장을 해석하시오.

5 You'd better go / to go to the camp and make friends.

» _____

6 I'd like to have / had some fresh salad for lunch today.

» _____

7 He used visit / to visit the island and spend summer there.

» _____

8 My grandpa used to tell / telling me interesting stories at night.

» _____

9 My family didn't would / use to eat out during weekdays.

» _____

Words
take a walk 산책하다
rest 쉬다, 휴식하다
make a friend
친구를 사귀다
spend (시간을) 보내다
eat out 외식하다
weekday 평일

3 다음 글의 주제로 가장 알맞은 것은?

The World Cup **may** be the most popular sporting event in the world. The event takes

월드컵은 전 세계에서 가장 인기 있는 스포츠 행사일지도 모른다.

place every four years. In the first set of matches, 32 countries compete to make the top 16.

Then the 16 countries play again, and only eight of them can reach the quarter-finals. From

this point, only teams that continue to win can play in further matches until just one team is

left. This way of playing matches is called a "tournament." So, all the teams should work hard

to make the semi-finals, which has only four teams. Then, in the finals, the strongest two

teams are able to play a match for the World Cup Trophy.

① 월드컵의 인기

② 월드컵의 경기 방식

③ 월드컵의 역사

④ 역대 월드컵 우승 팀

⑤ 월드컵 우승 트로피

Words sporting 운동의   take place 개최되다, 일어나다   match 경기   compete 경쟁하다   quarter-final 준준결승
continue 계속하다   further 그 이상의   tournament 토너먼트(승자 진출전)   semi-final 준결승

4 빵을 만드는 방법에 관한 다음 글의 내용과 일치하지 <u>않는</u> 것은?

Homemade bread is much more delicious than any other bread in bakeries. To bake this bread, first you should buy flour, yeast, and milk. According to the recipe, you should mix all the ingredients in a bowl. Here, the important thing is using a measuring cup. If you don't have one, you**'d better** use the same cup or bowl to measure all the ingredients. In baking, this is very important because the exact amounts of flour, yeast, and milk are needed. After mixing all the ingredients, put the mix in a warm place. Then the mix gets bigger because of the yeast. Next, put the mix into the oven, but you mustn't open the door until it is fully baked.

① 밀가루, 이스트, 우유가 필요하다.

② 모든 재료를 그릇에 넣고 섞어야 한다.

③ 계량컵을 사용하는 것이 좋다.

④ 반죽을 따뜻한 곳에 두어야 한다.

⑤ 반죽이 잘 익고 있는지 수시로 오븐 문을 열어 확인한다.

Words homemade 집에서 만든   bake 굽다   flour 밀가루   yeast 이스트(식품의 발효 등에 이용할 수 있는 효모균)
according to ~에 따라   recipe 조리법   mix 섞다; 반죽   measure 측정하다   ingredient 재료   exact 정확한

네모 안에서 알맞은 표현을 고르시오.

1 She is able swim / to swim in this lake.

2 May / Would you pass me the pepper, please?

3 He has / must to submit the proposal today.

4 Dohun should / must be take medicine for his cough.

5 You can go / going swimming this Saturday.

6 Her cell phone must be / had to on the desk.

7 You have / had better join a club and make friends.

8 He would like drink / to drink something cool.

 구문 분석 노트를 완성하시오.

1 He was able to solve the math problem.
   be able to + ❶

구문: ❷ __능력__ 을 나타내는 조동사가 쓰였다.

해석: 그는 ❸ _____ 풀 수 있었다.

2 They have to wait here for ten minutes.
   ❶ _____ + 동사원형

구문: ❷ _____ , 필요를 나타내는 조동사가 쓰였다.

해석: 그들은 여기에서 10분 동안 ❸ _____ .

3 It may be cloudy today.
   조동사 + ❶

구문: ❷ _____ 을 나타내는 조동사가 쓰였다.

해석: 오늘은 날씨가 흐릴지도 ❸ _____ .

4 She used to walk her dog in the morning.
   ❶ _____ + 동사원형

구문: 과거의 ❷ _____ 을 나타내는 조동사가 쓰였다.

해석: 그녀는 아침에 개를 ❸ _____ 했다.

LINK WORKBOOK pp.18~21

Unit 6

수동태

동사가 나타내는 행위의 대상이 주어로 표현된 것을 '수동태'라고 해요.

수동태의 기본형	It 그것은	is repaired 수리된다	by him. 그에 의해	
수동태의 시제	It 그것은	was repaired 수리되었다	by him. 그에 의해	
주의해야 할 수동태	Was ~었나요	it 그것은	repaired 수리된	by him? 그에 의해
수동태의 관용적 표현	His story 그의 이야기는	was known to ~에게 알려졌다	the whole class. 학급 전체	

01 수동태의 기본형

① The book / **is loved** / by many people.
　　주어(행위의 대상)　　동사(be동사+p.p.)　　by+행위자

그 책은 / 사랑받는다 / 많은 사람들에 의해

② The rooms / **are cleaned** / by me / on weekends.
　　주어(행위의 대상)　　동사(be동사+p.p.)　　by+행위자

그 방들은 / 청소된다 / 나에 의해 / 주말마다

- 능동태는 행위자를 주어로 쓰지만, 수동태는 행위의 대상을 주어로 쓴다.
- 수동태의 동사는 「be동사+p.p.」의 형태이고, 그 뒤에 「by+행위자(목적격)」가 오기도 한다.
- 수동태 문장은 '(주어)는 (…에 의해) ~되다'라고 해석한다.

바로예문 수동태의 동사 찾고, 우리말 해석 완성하기

1 English is spoken by many people.

영어는 많은 사람들에 의해 <u>말해진다</u>.

2 The articles are posted on the Web.

그 기사들은 인터넷에 _____.

3 School uniforms are worn by students.

교복은 학생들에 의해 _____.

4 The flowers are watered by the gardener.

그 꽃들은 정원사에 의해 _____.

바로훈련 수동태의 동사에 밑줄을 긋고, 문장을 해석하시오.

5 The Earth is threatened by pollution.

　» _____

6 These machines are used to wash the cars.

　» _____

7 In my family, breakfast is cooked by Grandpa.

　» _____

8 Lots of clothes and shoes are made by the company.

　» _____

9 All the food and clothing are sent to the nursing home.

　» _____

Words

post 게시하다
water (식물에) 물을 주다
gardener 정원사
threaten 위협하다
pollution 공해, 오염

02 수동태의 시제

① The book / **was borrowed** / by her.
   과거시제 수동태(was + p.p)

그 책은 / 빌려졌다 / 그녀에 의해

② His car / **is being repaired** / now.
   진행형 수동태(be동사 + being + p.p.)

그의 차는 / 수리되고 있다 / 지금

- 수동태의 현재시제와 과거시제는 be동사의 시제로 나타내며, 미래시제는 조동사 will을 사용하여 나타낸다.

현재시제	am/are/is+p.p. '~되다'	과거시제	was/were+p.p. '~되었다'	미래시제	will be+p.p. '~될 것이다'

- 수동태의 진행형은 「be동사+being+p.p.」로 나타내며 '~되고 있다/~되는 중이다'로 해석한다.

바로예문 영어와 우리말에서 수동태의 동사 찾기

1 The tent was used by my family.   그 텐트는 나의 가족에 의해 사용되었다.

2 The flowers were delivered by him.   그 꽃들은 그에 의해 배달되었다.

3 The box will be carried to her house.   그 상자는 그녀의 집으로 옮겨질 것이다.

4 Your food is being cooked in the kitchen.   당신의 음식은 부엌에서 조리되고 있다.

바로훈련 수동태 표현으로 알맞은 것을 고르고, 문장을 해석하시오.

5 The beach will be change / changed into a resort.

» _____

6 A new road was been / being constructed.

» _____

7 When I came back home, only $1 was left / being in my wallet.

» _____

8 This dress was design / designed by an Italian designer.

» _____

9 The music class will be teach / taught by a new teacher.

» _____

Words

borrow 빌리다
repair 고치다, 수리하다
deliver 배달하다
resort 휴양지
construct 건설하다
wallet 지갑

1 시리얼(cereal)에 관한 다음 글의 내용과 일치하지 <u>않는</u> 것은?

Cereal is a breakfast food that **is made** from grains. It **is** usually **mixed** with milk or

시리얼은 곡물로 만든 아침 식사 식품이다.

yogurt and often **eaten** with fruits and nuts. In the past, cereal was not as popular as today.

At that time, the main Western breakfast foods were eggs, bacon, sausage, and beef. Only a

few vegetarians enjoyed eating cereal, but it was not simple to make. They had to put grains

into water overnight to make them soft enough to eat. An easier cereal **was created** by

accident. Dr. Kellogg and his brother left cooked wheat in water for a long time. When they

rolled it out, what they found was the thin flakes which all of us enjoy.

① 곡물로 만든 아침 식사 식품이다.

② 과거에는 오늘날만큼 인기가 없었다.

③ 과거에는 만들기가 간단하지 않았다.

④ 곡물은 부드러워서 그냥 먹을 수 있었다.

⑤ 오늘날과 같은 형태는 우연히 만들어졌다.

Words nut 견과류   Western 서양의   bacon 베이컨   beef 소고기   vegetarian 채식주의자   overnight 하룻밤 동안
by accident 우연히   wheat 밀   roll ~ out ~을 밀어서 펴다   flake 조각

2 | 다음 글의 주제로 가장 알맞은 것은?

Paper is very important in our life. We make books, take notes, and print important documents using paper. However, before China invented the first paper in the second century AD, many other things **were used** instead of paper. In ancient Egypt, people used papyrus for writing. This **was made** from thin strips of papyrus plants. In China, important things were written on expensive silk. European people used flat pieces of stone or sheepskin to write on. When the first paper was invented in China, people didn't use it much. It took several hundred years until paper became popular around the world.

① 종이의 필요성

② 종이 대신 사용된 것들

③ 파피루스의 용도와 특징

④ 종이가 대중화되지 않은 이유

⑤ 중국 종이와 유럽 종이의 차이점

Words take notes 필기하다, 메모하다   document 문서   century 100년, 세기   instead of ~ 대신에
papyrus (식물) 파피루스, 파피루스 종이   strip 가늘고 긴 조각   plant 식물   flat 평평한   sheepskin 양피지

03   주의해야 할 수동태

① Salt / **is not sold** / in kilograms.
　　　　be동사＋not＋p.p.

소금은 / 판매되지 않는다 / 킬로그램 단위로

② It / **must be finished** / by Monday.
　　　조동사＋be＋p.p.

그것은 / 마무리되어야 한다 / 월요일까지

- 수동태의 부정문은 「주어＋be동사＋not＋p.p. .....」의 형태이고, '(주어)는 ~되지 않는다'로 해석한다.
- 수동태의 의문문은 「be동사＋주어＋p.p. ...?」의 형태이고, '(주어)는 ~되나요?'로 해석한다.
- 조동사가 쓰인 수동태 문장은 「주어＋조동사＋be＋p.p. .....」의 형태이고, 부정문은 「주어＋조동사＋not＋be＋p.p. .....」, 의문문은 「조동사＋주어＋be＋p.p. ...?」의 형태이다.

바로예문 수동태 표현을 찾고, 우리말 해석 완성하기

1 It was not made in China.

그것은 중국에서 만들어지지 않았다_____.

2 Is this coffee imported from Kenya?

이 커피는 케냐에서 _____?

3 The wall might not be painted blue.

그 벽은 파란색으로 _____.

4 Should the letter be sent to Mary?

그 편지는 Mary에게 _____?

바로훈련 수동태의 동사에 밑줄을 긋고, 문장을 해석하시오.

5 The gift cannot be delivered to Ken.

   » _____

6 Were the boxes moved to the sixth floor?

   » _____

7 Are cell phones not allowed in this library?

   » _____

8 This meat should be put into the refrigerator.

   » _____

9 You are not given any food and drink during the field trip.

   » _____

Words

import 수입하다
allow 허락하다
meat 고기
refrigerator 냉장고
field trip 현장 학습

04 수동태의 관용적 표현

① The cup / **is filled with** / water.
<u>be동사 + p.p. + 전치사</u>

그 컵은 / ~으로 채워져 있다 / 물

② The news / <u>**was known to**</u> / everybody.
be동사 + p.p. + 전치사

그 소식은 / ~에게 알려졌다 / 모두

• 수동태 뒤에 by 이외의 전치사를 쓰기도 한다.

be covered with ~으로 뒤덮이다	be filled with ~으로 채워지다	be satisfied with ~에 만족하다
be excited about ~로 인해 흥분하다	be worried about ~을 걱정하다	be interested in ~에 관심이 있다
be tired of ~에 싫증이 나다	be based on ~에 근거하다	be known to ~에게 알려지다

바로예문 영어와 우리말에서 수동태 표현 찾기

1 People <u>are worried about</u> the economy.

사람들은 경제를 걱정한다.

2 The floor was covered with dust.

마루는 먼지로 덮여 있었다.

3 He was satisfied with the result.

그는 그 결과에 만족했다.

4 She is interested in philosophy.

그녀는 철학에 관심이 있다.

바로훈련 수동태 뒤에 올 전치사로 알맞은 것을 고르고, 문장을 해석하시오.

5 We are tired at / of the cold weather here.

» _____

6 The TV drama is based on / for a real story.

» _____

7 We were very excited of / about the soccer match.

» _____

8 All lands and mountains were covered for / with snow.

» _____

9 The truth about the accident was not known at / to many people.

» _____

Words

economy 경제
dust 먼지
philosophy 철학
truth 진실, 진상
accident 사고

✔ 구문 강화 훈련
1 글을 읽으며 동사에 밑줄 긋기
2 문장 끊어 읽으며 해석하기

3 다음 글의 목적으로 가장 알맞은 것은?

This coming Friday <u>will be</u> a very special day for all teachers, students, and parents. The

다가오는 이번 금요일은 모든 교사, 학생, 그리고 학부모님들께 무척 특별한 날이 될 것입니다.

school flea market will be held on that day. So, all the teachers and students are expected to

put at least one item on the market. Used books, clothes, and CDs will all be welcomed. Or

some items that you bought and didn't use much **can be sold** at good prices. However,

remember that 10 percent of all the profits will be given to the local charity. This event will

be held for the first time this year. However, if it succeeds, we will continue having this flea

market every year.

① 중고 물품의 판매가를 알리려고

② 교내 벼룩시장 행사를 안내하려고

③ 학생들에게 무료로 중고 물품을 나눠 주려고

④ 교사와 학부모들에게 기부의 중요성을 알리려고

⑤ 교내 행사를 성공적으로 치른 것에 감사를 표하려고

Words   coming 다가오는   flea market 벼룩시장   hold 열다, 개최하다   item 물품, 품목   profit 수익   local 지역의
charity 자선 단체   succeed 성공하다

4 다음 글에 소개된 도로의 장점이 <u>아닌</u> 것은?

Do you know there is a road which makes energy? This road isn't just for walking or driving. It is a road which **is covered with** solar panels. Solar roads can provide not only roads for cars and humans but also clean energy. The energy made from solar roads can light road signs and signals. It can also give power to electric vehicles, homes, and buildings.

At present, one-kilometer of a solar road can power a town of 5,000 people. Most of all, the benefit of this system is that you can set it up on the road directly. It can also melt the snow on the road and tell us the traffic information. As a result, this kind of road is being built around the world.

① 도로 표지판과 신호등을 켠다.　　② 교통사고를 방지한다.

③ 전기 차와 가정에 전기를 공급한다.　　④ 도로 위의 눈을 녹인다.

⑤ 교통 정보를 제공한다.

Words　solar 태양의　　panel 판, 판자　　provide 제공하다　　sign 표지판　　signal 신호　　power 전력; 전력을 공급하다　　electric 전기의　　benefit 이익, 혜택　　set up ~을 설치하다

네모 안에서 알맞은 표현을 고르시오.

1 French is spoke / spoken by many people.

2 This magazine will borrow / be borrowed by him.

3 Dinner is being cooked / been cooked in the kitchen.

4 Were the coffee machines imported / was imported from Italy?

5 Participants are not given / given not any food at the event.

6 This fruit should be / been put into the refrigerator.

7 This bottle was filled of / with apple juice.

8 The movie is based in / on his novel.

 구문 분석 노트를 완성하시오.

1 The house is cleaned by him on weekends.
　　주어(행위의 대상)　·　동사(be동사+p.p.)　　by + ❶

구문: 「be동사+p.p.」 형태의 ❷ 수동태 문장이다.

해석: 그 집은 그에 의해 주말마다 ❸　　　　　　.

2 My computer is being repaired now.
　　　주어　　　　be동사 + ❶　　　　 + p.p.

구문: 수동태의 ❷　　　　문장이다.

해석: 내 컴퓨터는 지금 ❸　　　　　 있다.

3 It was not made by her cousin.
　주어　 be동사 + ❶　　　 + p.p.　　by + 행위자

구문: 수동태 ❷　　　 문장이다.

해석: 그것은 그녀의 사촌에 의해 ❸　　　　　 않았다.

4 She was interested in physics.
　　주어　 be동사 + ❶　　　 + 전치사

구문: 수동태 뒤에는 ❷　　　 이외의 전치사를 쓰기도 한다.

해석: 그녀는 물리학에 ❸　　　　.

LINK> WORKBOOK pp. 22~25

Unit 7

수식어

수식어는 문장의 필수 요소인 주어, 동사, 목적어, 보어 등을 꾸며 주어 의미를 풍부하게 해 주는 역할을 해요.

형용사 부사	He 그는	is ~이다	very 아주	handsome. 잘생긴

분사 전치사구	The doll 그 인형은	made in Korea 한국에서 만들어진	is ~이다	pretty. 예쁜

to부정사 I: 형용사적 용법	I 나는	have 가지고 있다	a friend 친구를	to play with. 함께 놀

to부정사 II: 부사적 용법	She 그녀는	got up early 일찍 일어났다	to prepare food. 음식을 준비하기 위해	

01 형용사, 부사

① They / have / a **lovely** daughter.
형용사 → 명사

그들은 / 가지고 있다 / 사랑스러운 딸을

② His swimming / was / **pretty** good.
부사 → 형용사

그의 수영은 / ~이었다 / 아주 훌륭한

- 형용사는 주로 명사를 앞에서 꾸며 주고, -one, -thing, -body로 끝나는 대명사는 뒤에서 꾸며 주어 의미를 풍부하게 한다.
- 부사는 동사, 형용사, 부사, 문장 전체를 꾸며 준다.

바로 예문 영어와 우리말에서 형용사와 부사 찾기

1 She has lost the golden necklace.

그녀는 금으로 된 목걸이를 잃어버렸다.

2 We are looking for someone creative.

우리는 창의적인 사람을 찾고 있다.

3 His uncle walked quickly along the roads.

그의 삼촌은 길을 따라 빠르게 걸었다.

4 Unfortunately, the air is extremely thin.

불행하게도 공기가 극도로 희박하다.

바로 훈련 밑줄 친 수식어가 꾸며 주는 말에 네모 표시를 하고, 문장을 해석하시오.

5 She has bought a lovely bracelet.

  » _____

6 We were watching the beautiful sunset.

  » _____

7 He drove his car very fast, but it stopped suddenly.

  » _____

8 Surprisingly, the boy survived the serious traffic accident.

  » _____

9 How was last weekend? Did anything interesting happen?

  » _____

Words

pretty 아주, 꽤
extremely 극도로
thin 희박한, 가는
bracelet 팔찌
sunset 일몰

02 분사, 전치사구

① Don't wake up / the **sleeping** boy.
현재분사 ┗── 명사

② The **broken** cup / was / **in the kitchen**.
과거분사 ┗── 명사 ── 전치사구: 장소

깨우지 말아라 / 그 잠자고 있는 소년을

그 깨진 컵은 / 있었다 / 부엌에

- 현재분사(동사원형-ing)와 과거분사(p.p.)는 형용사처럼 명사를 꾸며 줄 수 있다.
- 현재분사는 능동·진행의 의미로 '~하는/~하고 있는', 과거분사는 수동·완료의 의미로 '~되는/~된'으로 해석한다.
- 「전치사+명사(구)」형태의 전치사구는 문장에서 시간, 장소, 방법(수단) 등을 나타내는 부사구 역할을 한다.

바로예문 영어와 우리말에서 분사(구)와 전치사구 찾기

1 The coughing man needs medicine.

2 Give me anything made in Italy.

3 Children cannot enter the park without their parents.

4 Many people gathered at the front of the hall.

그 기침하는 남자는 약이 필요하다.

이탈리아에서 만들어진 어떤 것이든 저에게 주세요.

아이들은 부모 없이는 그 공원에 들어가지 못한다.

많은 사람이 강당 앞에 모였다.

바로훈련 수식어로 알맞은 것을 고르고, 문장을 해석하시오.

Words

cough 기침하다
gather 모이다
snore 코를 골다
bark (개가) 짖다
complain 불평하다
polite 정중한, 공손한

5 The boy snored / snoring in the chair is Gilbert.

》 _____

6 Did you see the barked / barking dog on the sofa?

》 _____

7 Daisy complained about the food in / to a polite way.

》 _____

8 This is her first novel writing / written in English.

》 _____

9 They have been working for the school at / for a long time.

》 _____

1 다음 글의 목적으로 가장 알맞은 것은?

Do you want to have a special family weekend? Loyal Family Travel helps you experience

가족을 위한 특별한 주말을 원하시나요?

a **wonderful** weekend at the riverside. We have 50 cozy cabins near the Green River.

Families can use one of these cabins and enjoy various activities. Fathers can enjoy fishing

on a small boat, and children can enjoy swimming or canoeing. There are **many big**

orchards nearby, so ladies can enjoy picking apples or cherries. Every night a barbecue and

campfire will be prepared for you. Just come together and have a great family trip. If you

want more information, visit our website at www.loyalfamilytravel.com.

① 여행 정보 웹 사이트를 추천하려고
② 강 주변의 숙박지들을 안내하려고
③ 주말 가족 여행 상품을 광고하려고
④ 강에서 할 수 있는 체험 활동들을 소개하려고
⑤ 가족들과 보내는 시간의 중요성을 강조하려고

Words　riverside 강가　cozy 아늑한, 편안한　cabin 오두막　canoe 카누; 카누를 타다　orchard 과수원　nearby 근처에, 가까운 곳에
pick (과일 등을) 따다

2

다음 글의 주제로 가장 알맞은 것은?

Mars is the fourth planet from the sun **in our solar system**. The planet is named after the Roman god of war, Mars. It is often called the "Red Planet." **On the surface of Mars**, there is a lot of iron, and this makes it look red. Mars is thought the most similar planet to Earth in many ways. It has a sky and land like Earth. On its surface, there are volcanoes, valleys, and deserts, too. It is also covered with ice in its polar regions like Antarctica and the Arctic on Earth. However, the land and ice on Earth's surface keep changing over time. On the other hand, the surface of Mars is calm and stays the same all the time.

① 지구의 지형적 특징

② 화성의 남극과 북극

③ 태양계의 여러 행성들

④ 지구와 화성의 공통점과 차이점

⑤ 화성이 '붉은 행성'이라고 불리는 이유

Words   Mars 화성   planet 행성   solar system 태양계   name after ~을 따라 이름을 짓다   surface 표면   iron 철
valley 계곡   polar 극지의   region 지방   Antarctica 남극 대륙   the Arctic 북극

03 to부정사 I : 형용사적 용법

① I / have lost / a dress **to wear**.
　　　　　　　명사 ← to부정사

② We / want / someone / **to play with**.
　　　　　　　대명사 ← to부정사 + 전치사

나는 / 잃어버렸다 / 입을 드레스를

우리는 / 원한다 / 누군가를 / 함께 놀

- to부정사는 형용사적 용법으로 쓰여 앞에 오는 명사(구)를 수식하며, '~하는/~할'로 해석한다.
- to부정사의 수식을 받는 명사(구)가 to부정사 뒤에 있는 전치사의 목적어일 때, 「명사+to부정사+전치사」 형태로 쓴다.

바로예문 영어와 우리말에서 to부정사(구) 찾기

1 He had some water to drink.

그는 마실 물이 좀 있다.

2 He asked for something to eat.

그는 먹을 것을 요청했다.

3 Here is a pencil to write with.

여기 쓸 연필이 있다.

4 They need a house to live in.

그들은 살 집이 필요하다.

바로훈련 밑줄 친 명사(구)를 수식하는 to부정사(구)에 네모 표시를 하고, 문장을 해석하시오.

5 There was no space to park a car near his house.

　》 _____

6 I need some flour to bake chocolate chip cookies.

　》 _____

7 Can I borrow some books to read?

　》 _____

8 Cindy has something to explain to her clients.

　》 _____

9 I have a parrot to take care of.

　》 _____

Words

space 공간
park 주차하다
borrow 빌리다
explain 설명하다
client 고객
parrot 앵무새

04 to부정사 Ⅱ : 부사적 용법

① His article / is / hard **to understand**.   ② I / stood up / **to catch** the fly.

그의 기사는 / ~이다 / 이해하기 어려운   나는 / 일어섰다 / 파리를 잡기 위해

- to부정사는 부사적 용법으로 쓰여 동사, 형용사, 부사를 수식할 수 있다.
- to부정사는 문맥에 따라 목적(~하기 위해서), 감정의 원인(~해서/~하니), 판단의 근거(~하다니), 결과(…해서 (결국) ~하다) 등을 나타내는 부사구 역할을 한다.

바로예문 영어와 우리말에서 to부정사(구) 찾기

1 We went to see a movie that night.

그날 밤에 우리는 영화를 보기 위해 갔다. 〈목적〉

2 He grew up to become a pilot.

그는 자라서 조종사가 되었다. 〈결과〉

3 I was very pleased to talk with you.

당신과 대화하게 되어 매우 기뻤다. 〈감정의 원인〉

4 She must be smart to solve the problem.

그 문제를 풀다니 그녀는 틀림없이 똑똑하다. 〈판단의 근거〉

바로훈련 to부정사의 의미를 구분하고, 문장을 해석하시오.

5 Tim was delighted to hear the news.

» _____

6 My grandmother lived to be ninety.

» _____

7 To pass the level-up test, all of us studied really hard.

» _____

8 He must be very brave to save all of the people from the fire.

» _____

9 She will do her best not to lose their attention.

» _____

Words

fly 파리
pilot 조종사
delighted 기쁜, 즐거워하는
level-up 승급
brave 용감한
attention 주목, 주의

3 글의 흐름으로 보아, 주어진 문장이 들어가기에 가장 알맞은 곳은?

> One story explains that Lisa didn't really have eyebrows when da Vinci painted her.

The *Mona Lisa* is a great artwork painted by Leonardo da Vinci. Lisa, the woman in the

모나리자는 레오나르도 다빈치에 의해 그려진 위대한 예술 작품이다.

painting, is famous for her unchanging beauty. (①) An interesting thing is that she doesn't

have eyebrows. (②) There are several stories **to explain this**. (③) At that time, shaving

eyebrows was popular among women, so Lisa also might have removed her eyebrows. (④)

Another explains that in the original work, she did have eyebrows, but during the process **to**

restore it, people removed Lisa's eyebrows by mistake. (⑤) Which is true? Nobody knows,

but people still think Lisa beautiful even today.

Words　eyebrow 눈썹　　artwork 예술 작품　　unchanging 변하지 않는　　shave 깎다, 면도하다　　remove 제거하다
process 과정　　restore 복원하다, 복구하다　　by mistake 실수로

4

다음 글에서 전체 흐름과 관계 없는 문장은?

The worst war in America was the Civil War. This war lasted from 1861 to 1865. Over half a million people died in this war. So, why did the Civil War start? ① The worst battle in this war was at Gettysburg in 1863. ② People in the South owned slaves. Slaves were African Americans, and they had no freedom. ③ They had to work all the jobs in farms and factories. ④ The people in the North wanted to free them. However, the South needed slaves **to run their businesses**. ⑤ Their argument about slaves led the North and South to fight in the war. Finally, the North won this war, so the slaves became free.

Words   worst 최악의   last 지속하다   million 백만의   battle 전투   own 소유하다   slave 노예   freedom 자유   farm 농장
factory 공장   free ~을 해방하다; 자유로운   run (사업을) 운영하다   argument 논쟁

네모 안에서 알맞은 표현을 고르시오.

1 We saw the beautiful / beautifully sunrise.

2 His climbing was much / pretty good.

3 The broken / breaking plate was in the kitchen.

4 Did you see the smiling / smiled baby on the sofa?

5 We need some flour to bake / baking bread.

6 They are looking for chairs to sit / sit on .

7 I was pleased to talk / talking with my favorite singer.

8 He will do his best not to / to not lose his position.

 구문 분석 노트를 완성하시오.

1 Unfortunately, the river is dirty.
   ❶

구문: 부사가 ❷ 문장 전체 (을)를 수식하고 있다.

해석: ❸ _____ 강이 오염되었다.

2 The man snoring in the chair is my father.
   명사 ↑___❶

구문: 수식어가 붙어 ❷ _____ (이)가 길어진 문장 이다.

해석: 의자에서 ❸ _____ 남자가 나의 아버지이다.

3 There is no space to park my car here.
   명사 ↑ to부정사구: ❶ 수식

구문: to부정사구가 ❷ _____ 용법으로 쓰였다.

해석: 여기에는 내 차를 주차할 ❸ _____ 없다.

4 Tom must be clever to solve the problem.
   to부정사구: ❶ 의 근거

구문: to부정사구가 ❷ _____ 용법으로 쓰였다.

해석: 그 문제를 ❸ _____ Tom은 틀림없이 똑똑하다.

LINK > WORKBOOK pp. 26~29

Unit 8
접속사와 분사구문

문장에서 단어와 단어, 구와 구,
절과 절을 연결해 주는 말을 '접속사'
라고 해요. 또한 '분사구문'을 이용하여
부사절을 간결하게 표현할 수 있어요.

| 접속사 | 명사절을 이끄는 접속사 | She | asked | me | if I loved her. |
| | | 그녀는 | 물었다 | 내게 | 내가 그녀를 사랑하는지를 |

| | 부사절을 이끄는 접속사 | He | has become | careful | since he got hurt. |
| | | 그는 | ~하게 되었다 | 조심하는 | 그가 다친 이후로 |

| 분사구문 | 시간, 이유, 양보 | Arriving home, | I | realized | I had no keys. |
| | | 집에 도착했을 때 | 나는 | 깨달았다 | 나에게 열쇠가 없다는 것을 |

| | 동시동작 | Listening to music, | I | studied | English. |
| | | 음악을 들으면서 | 나는 | 공부했다 | 영어를 |

01 접속사 I : 명사절을 이끄는 접속사

① They / asked / me / **if** I had studied economics.
   주어   동사   간접목적어   직접목적어(if절)

그들은 / 물었다 / 내게 / 내가 경제학을 공부했었는지를

② He / found out / **what** the boy put in the box.
   주어   동사   목적어(의문사절)

그는 / 알아냈다 / 소년이 상자에 무엇을 넣었는지를

- that은 명사절을 이끌며 '~라는 것/~하다는 것'으로 해석한다.
- if와 whether는 명사절을 이끌며, '~인지 아닌지'로 해석한다.
- 의문사는 명사절을 이끌며, '누가/언제/어디서/무엇을/어떻게/왜 (주어)가 ~하는지'로 해석한다.

바로예문 영어와 우리말에서 명사절 찾기

1 She believes that he will come back.
   그녀는 그가 돌아올 것을 믿는다.

2 I don't know if she has worked here.
   나는 그녀가 이곳에서 일해 왔는지를 모른다.

3 Why she was absent today is a mystery.
   오늘 그녀가 왜 결석했는지가 불가사의하다.

4 He wants to know where she is.
   그는 그녀가 어디에 있는지를 알고 싶다.

바로훈련 접속사절에 밑줄을 긋고, 문장을 해석하시오.

5 Whether Alex went home right after school was uncertain.

   » _____

6 Where he lives isn't important to me.

   » _____

7 The forecast wasn't sure whether it will rain or not today.

   » _____

8 I haven't decided what I should order for lunch.

   » _____

9 We should find out when the necklace disappeared.

   » _____

Words

economics 경제학
absent 결석한
uncertain 확실하지 않은
forecast 일기예보

02 접속사 Ⅱ: 부사절을 이끄는 접속사

① It / has been / ten years / **since** we met.
_{부사절: 시간}

되었다 / 10년이 / 우리가 만난 이후로

② I / couldn't attend / the meeting / **because** I was sick.
_{부사절: 이유}

나는 / 참석할 수 없었다 / 그 회의에 / 내가 아팠기 때문에

- 시간을 나타내는 접속사에는 after, before, when, while, since, until, as soon as 등이 있다.
- 이유를 나타내는 접속사에는 as, because, since가 있고, 조건을 나타내는 접속사에는 if, unless가 있다.
- 양보를 나타내는 접속사에는 though, although, even though가 있다.

바로예문 영어와 우리말에서 부사절 찾기

1 The baby cried as soon as his mom went away.　그 아기는 그의 엄마가 떠나자마자 울었다. 〈시간〉

2 As I was tired, I couldn't get up early today.　나는 피곤했기 때문에 오늘 일찍 일어날 수 없었다. 〈이유〉

3 He will fail the exam unless he studies hard.　그가 열심히 공부하지 않으면 그는 시험에 실패할 것이다. 〈조건〉

4 Though I missed the train, I arrived on time.　비록 내가 기차를 놓쳤지만 나는 정시에 도착했다. 〈양보〉

바로훈련 알맞은 접속사를 고르고, 문장을 해석하시오.

5 When / After we rode the roller coaster, we went to the haunted house.
» _____

6 She needs more time until / after she can run her business again.
» _____

7 Even though / As he was a great doctor, he couldn't save all the lives.
» _____

8 If / Though Molly wins the race, all of us will be very happy.
» _____

9 He fell asleep while / before he was watching the movie.
» _____

Words
go away 떠나다
miss 놓치다
haunted house (놀이공원) 유령의 집
fall asleep 잠이 들다

1 다음 글의 밑줄 친 부분 중, 어법상 틀린 것은?

Do you <u>know</u> **what "brainstorming" is**? It is a creative technique that people use to

여러분은 '브레인스토밍'이 무엇인지 아는가?

think of a number of ideas. ① <u>When</u> they have a problem to solve, a group of people gather

and start to create as many ideas as they can. Those ideas from brainstorming ② <u>are</u> usually

rough and sometimes do not make any sense. So, some people think **that this is simply a**

waste of time, but there are some advantages. It helps people ③ <u>work</u> happily together, and

many new solutions can ④ <u>be found</u> for one problem. Two important rules in brainstorming

are to create many ideas in a limited time frame and ⑤ <u>to not blame</u> others for bad ideas.

Words creative 창의적인   technique 기법, 기술   rough 대략의, 개략적인   make sense 말이 되다, 타당하다
waste 낭비   advantage 장점   solution 해결책   limited 한정된   frame 틀   blame 비난하다

2 검은 모래(black sand)에 관한 다음 글의 내용과 일치하지 <u>않는</u> 것은?

While most sand is white, there is black sand on some beaches. Black sand is usually made from lava. **When a volcano erupts**, lava comes out and suddenly cools down on land. This becomes hard black stones on beaches. Several hundred years later, they become black sand. Some beaches in Hawaii and Jejudo have this black sand. **As soon as people see this black sand**, they are surprised at the color. They worry that it is dirty or harmful to their health. However, black sand is as safe as white sand. It doesn't harm our health. An interesting thing about black sand is that it tells us the area might have gold.

① 용암이 식어 굳어진 돌로 만들어진다.

② 하와이나 제주도의 해변에서 볼 수 있다.

③ 몇몇 사람들은 건강에 해롭다고 생각한다.

④ 하얀 모래보다 안전하지 않다.

⑤ 주변에 금이 있을지도 모른다는 것을 알려 준다.

Words
while ~인 반면에   sand 모래   lava 용암   volcano 화산   erupt 분출하다   stone 돌   several 몇몇의
harmful 해로운   harm 해치다   area 지역

03 분사구문 I : 시간, 이유, 양보

① **Seeing Mark**, / I / was just getting / on the elevator.
  분사구문: 시간   주어   동사

  Mark를 보았을 때 / 나는 / 막 타고 있었다 / 엘리베이터에

② **Leaving his homework at home**, / Kevin / went back / to get it.
  분사구문: 이유   주어   동사

  집에 숙제를 두고 왔기 때문에 / Kevin은 / 돌아갔다 / 그것을 가지러

- 분사구문은 부사절(「접속사＋주어＋동사 ~」)을 동사의 분사구 형태(동사원형-ing/p.p. ~)로 간결하게 표현한 부사구이다.
- 분사구문은 시간(~할 때, ~ 후에 등), 이유(~ 때문에), 양보(비록 ~일지라도) 등의 의미를 나타낸다.

바로예문 영어와 우리말에서 분사구문 찾기

1 Seeing me, he started to chase me.

나를 보았을 때 그는 나를 쫓기 시작했다. 〈시간〉

2 Recovering from an injury, she came back.

부상에서 회복한 후에 그녀는 복귀했다. 〈시간〉

3 Feeling tired, she couldn't finish her work.

피곤해서 그녀는 자신의 일을 끝내지 못했다. 〈이유〉

4 Knowing her secret, I didn't say it.

비록 그녀의 비밀을 알고 있었지만 나는 그것을 말하지 않았다. 〈양보〉

바로훈련 분사구문에 밑줄을 긋고, 문장을 해석하시오.

Words
leave ~을 두고 오다
chase 쫓다
recover 회복하다
injury 부상
award 상
lie 눕다

5 Buying the movie tickets late, we had to sit in the front.

  » _____

6 Winning the movie award, the movie is not interesting to me.

  » _____

7 Getting to the station, we could buy the tickets for the first train.

  » _____

8 Having a bad cold, Sam spent all day lying in bed.

  » _____

9 Meeting him first, I was working in an ice cream shop.

  » _____

04   분사구문 II : 동시동작

① **Talking on the phone**, / I / cooked / my dinner.
    분사구문: 동시동작   주어   동사

전화 통화를 하면서 / 나는 / 요리했다 / 내 저녁을

② He / came up to me, / **asking my name**.
   주어   동사   분사구문: 동시동작

그는 / 나에게 다가왔다 / 내 이름을 물으면서

• 분사구문은 두 가지 일이 동시에 일어난 상황(동시동작)을 나타내기도 하며, '~하면서/~한 채로'라고 해석한다.

바로예문   영어와 우리말에서 분사구문 찾기

1 Listening to the radio, I studied math.   라디오를 들으면서 나는 수학을 공부했다.

2 Watching TV, we had some snacks.   TV를 보면서 우리는 간식을 먹었다.

3 Raising her hand, she stood up.   손을 들면서 그녀는 일어섰다.

4 Walking on the beach, he waved his hand.   해변을 걸으면서 그는 손을 흔들었다.

바로훈련   괄호 안의 단어를 활용하여 분사구문을 완성하고, 문장을 해석하시오.

Words

raise 들다, 올리다
wave 흔들다
almost 거의
work out 운동하다
gym 체육관
purchase 구입품
laugh at ~을 놀리다

5 _____ him the truth, I was almost crying. (tell)

   » _____

6 My mother did yoga, _____ to music. (listen)

   » _____

7 _____ out in the gym, James talks with his friends. (work)

   » _____

8 Andy paid for his purchases, _____ he had enough money. (say)

   » _____

9 Jerry said "Catch me, if you can," _____ at Tom. (laugh)

   » _____

✔ 구문 강화 훈련
1 글을 읽으며 동사에 밑줄 긋기
2 문장 끊어 읽으며 해석하기

3 다음 글의 밑줄 친 부분 중, 문맥상 낱말의 쓰임이 적절하지 <u>않은</u> 것은?

Andy really <u>liked</u> playing mobile games. **Playing the games**, Andy didn't do his

Andy는 휴대 전화로 게임하는 것을 정말로 좋아했다.

homework and he didn't even eat or sleep. **Being tired**, he kept falling ① <u>asleep</u> at school.

He was ② <u>addicted</u> to them, and nothing was more important to him. He needed to do

something. So he made a plan. He ③ <u>downloaded</u> a time management app and made a list

of tasks for him to do. Then he set an amount of time for each job, **using the time app**.

When the time was up, ④ it <u>reminded</u> him to move on to another task. The app helped him to

organize his study tasks. At first, it was not easy for Andy to follow all the directions, but he

began to do his work. Thanks to the app, he learned to ⑤ <u>waste</u> his time effectively.

Words　addicted 중독된　make a plan 계획을 세우다　management 관리　task 일, 과제　set 설정하다　up (시간이) 다 된
remind 알려 주다　organize 정리하다　direction 지시　waste 낭비하다　effectively 효율적으로

4

다음 글의 빈칸 (A)와 (B)에 들어갈 말로 가장 알맞은 것은?

These days many people walk down the street, **listening to music**. Where do they get the music? They usually download MP3 files or stream music files. ____(A)____ downloading music from websites became popular, people have stopped buying CDs. Today, all of us have to pay an amount of money to download music files or listen to music directly on a website.

____(B)____, when the MP3 was first introduced, people thought that it was free. When one famous rock band first sold their music only in MP3 files, they couldn't decide on a price. So, the band had the customers pay the amount that they wanted to download the music. If someone entered $0 for the price, the person wouldn't pay at all.

	(A)	(B)		(A)	(B)
①	Since	In result	②	Since	However
③	Though	However	④	Though	In result
⑤	Because	Similarly			

Words download 내려받다   stream (인터넷에서) 실시간으로 재생하다   free 무료의   price 가격   customer 소비자, 고객
enter 입력하다

네모 안에서 알맞은 표현을 고르시오.

1   Who / Where they live is not important to us.

2   We wanted to find out what / why the boy put in the box.

3   She could not attend the meeting as / though she was sick.

4   It has been five years since / if I met him.

5   Feeling / To feel very tired, he could not finish his work.

6   Won / Winning the award, the musical is not interesting to her.

7   Seeing / See the police officer, he started to run away.

8   Telling / Told her the truth, he was almost crying.

 구문 분석 노트를 완성하시오.

1   I believe that she will come back.
     주어   동사   ❶   목적어

구문: 접속사 ❷   (이)가 명사절을 이끌고 있다.

해석: 나는 그녀가 ❸   믿는다.

2   We will be happy if she wins the race.
                            ❶

구문: 접속사 if가 '(만약) ~라면'이라는 ❷   의 의미로
쓰였다.

해석: 그녀가 경주에서 우승한다면 우리는 ❸   .

3   Knowing his secret, she didn't say it.
         분사구문   ❶   동사

구문: 분사구문이 '비록 ~일지라도'라는 ❷   의 의미를
나타낸다.

해석: 비록 그의 비밀을 ❸   그녀는 그것을
말하지 않았다.

4   Talking on the phone, I cooked my lunch.
         분사구문   주어 ❶

구문: 분사구문이 '~하면서'라는 의미로 ❷   (을)를 나
타낸다.

해석: ❸   나는 내 점심을 요리했다.

LINK> WORKBOOK pp. 30~33

Unit 9

관계사

'관계사'는 두 문장을
연결해서 한 문장으로 간결하게
만드는 역할을 해요.

관계대명사	**주격 관계대명사**	**He** 그는	**is** ~이다	**a farmer** 농부	who lives in Seoul. 서울에 사는
	목적격 관계대명사	**This** 이것은	**is** ~이다	**the watch** 손목시계	which she lost **yesterday.** 어제 그녀가 잃어버린
	소유격 관계대명사	**I** 나는	**know** ~을 안다	**a man** 한 남자	whose hobby is swimming. (그의) 취미가 수영인
관계부사	**관계부사**	**That** 저것은	**was** ~이었다	**the house** 집	where he lived. 그가 살았던

01 주격 관계대명사

① I / have / a friend / **who** likes cats.

선행사(사람) ┌──────┘ 주격 관계대명사절(who + 동사 ~)

나는 / 가지고 있다 / 한 친구를 / 고양이를 좋아하는

② A carrot / is / a vegetable / **which** has a lot of vitamin A.

선행사(사물) ┌──────┘ 주격 관계대명사절(which + 동사 ~)

당근은 / ~이다 / 채소 / 비타민 A가 많은

- 관계대명사는 「접속사＋대명사」 역할을 하며, 관계대명사절은 '~하는'의 의미로 앞에 있는 명사(선행사)를 꾸며 준다.
- 주격 관계대명사는 관계대명사절 안에서 주어 역할을 한다.
- 주격 관계대명사는 선행사가 사람이면 who/that을, 사물이나 동물이면 which/that을 쓴다.

바로예문 영어와 우리말에서 관계대명사절 찾기

1 I have an uncle who teaches English.   나에게는 영어를 가르치시는 삼촌이 한 분 계시다.

2 A whale is an animal that lives in the sea.   고래는 바다에 사는 동물이다.

3 This is the poem which was written by him.   이것은 그에 의해 쓰인 시이다.

4 She is a smart girl who can speak three languages.   그녀는 3개 국어를 할 수 있는 똑똑한 소녀이다.

바로훈련 선행사에 밑줄, 관계대명사에 동그라미 표시하고, 문장을 해석하시오.

5 Ava has a pet dog which has short legs.

≫ _____

6 He is reading a magazine which is about cameras.

≫ _____

7 Dr. Heinz who treated his disease is from Germany.

≫ _____

8 They are looking for a child who is good at memorizing things.

≫ _____

9 The train carried a lot of people and animals that survived.

≫ _____

Words

poem 시
magazine 잡지
treat 치료하다
disease 병
memorize 암기하다
survive 살아남다

02 목적격 관계대명사

① He / finally met / the girl / **whom** he was looking for.
선행사(사람)   목적격 관계대명사절(whom + 주어 + 동사 ~)
그는 / 마침내 만났다 / 그 소녀를 / 그가 찾고 있었던

② The album / **which** I bought yesterday / was broken.
선행사(사물)   목적격 관계대명사절(which + 주어 + 동사 ~)
그 앨범은 / 내가 어제 구입한 / 부서졌다

- 목적격 관계대명사는 관계대명사절 안에서 목적어 역할을 한다.
- 목적격 관계대명사는 선행사가 사람이면 who(m)/that을, 사물이나 동물이면 which/that을 쓴다.

바로예문 영어와 우리말에서 관계대명사절 찾기

1 I lost the book which you lent me.   나는 네가 내게 빌려준 그 책을 잃어버렸다.

2 I have the same shoes that he has.   나는 그가 가진 것과 똑같은 신발이 있다.

3 She is a famous singer who I like most.   그녀는 내가 가장 좋아하는 유명한 가수이다.

4 This is my friend whom you wanted to meet.   이쪽은 당신이 만나고 싶어 하던 제 친구입니다.

바로훈련 알맞은 관계대명사를 고르고, 문장을 해석하시오.

5 Cindy spilled the coffee who / that she was drinking.

» _____

6 The flowers whom / which my friend gave me were roses.

» _____

7 He could not remember the girl whom / which he danced with.

» _____

8 The song who / which you recommended has become popular.

» _____

9 The house who / which we decided to move into has four bedrooms.

» _____

Words
lend 빌려주다
same 같은
spill 흘리다
recommend 추천하다

1 라 토마티나(La Tomatina)에 관한 다음 글의 내용과 일치하지 <u>않는</u> 것은?

La Tomatina is a food fight festival **which** is held in the town of Buñol in Spain. It is on

라 토마티나(La Tomatina)는 스페인의 부뇰(Buñol)에 있는 마을에서 열리는 음식 싸움 축제이다.

the last Wednesday of August, and each year, about 150,000 tomatoes are thrown in the

streets for the fight. The town is small, but these days so many people want to participate in

this festival. So, travelers **who** come from other countries should stay in cities near the town.

For one week, people enjoy parades, dancing, cooking, and fireworks. During this period,

women wear all white and men don't wear shirts.

① 스페인의 한 마을에서 열리는 축제이다.

② 매년 8월의 마지막 수요일에 열린다.

③ 약 15만 개의 토마토가 거리에서 던져진다.

④ 다른 나라에서 오는 참가자들은 부뇰(Buñol)에 머무른다.

⑤ 축제 기간에 여자들은 흰색 옷을 입는다.

Words festival 축제 throw 던지다 participate in ~에 참가하다 traveler 관광객, 여행자 stay 머무르다 parade 행진
firework 불꽃놀이 period 기간

2 다음 글의 목적으로 가장 알맞은 것은?

Hello, all Spring Hill Middle School students. I am Chris Atmore, the leader of our school band. We consist of seven talented members, who play the guitar, drums, base, piano, and other instruments. Our band was founded in 2015, and we have played music at every important event at our school. In addition, we hold a music concert every two months so that all students and teachers can come and enjoy our music. Now, our band is looking for new members. Anyone **who** likes music will be welcomed. Just come and choose a musical instrument **that** you want to play. Then we can teach you everything about it.

① 학교를 안내하려고

② 학교의 중요한 행사를 홍보하려고

③ 밴드의 회원들을 소개하려고

④ 밴드의 신입 회원들을 모집하려고

⑤ 밴드의 역사를 설명하려고

Words leader 대표, 우두머리   consist of ~으로 이루어지다   talented 재능이 있는   member 회원   instrument 악기, 도구
found 설립하다   in addition 게다가   choose 고르다

03 소유격 관계대명사

① I / know / the girl / **whose** name is Jasmine.
  선행사(사람)   소유격 관계대명사절(whose + 명사 + 동사 ~)

  나는 / ~을 안다 / 그 소녀 / (그녀의) 이름이 Jasmine인

② Look at / the dog / **whose** leg is hurt.
  선행사(동물)   소유격 관계대명사절(whose + 명사 + 동사 ~)

  ~을 보아라 / 개 / (그것의) 다리가 다친

- 소유격 관계대명사는 관계대명사절 안에서 소유격 인칭대명사 역할을 한다.
- 소유격 관계대명사는 선행사가 사람이면 whose를, 사물이나 동물이면 whose/of which를 쓴다.

바로예문 영어와 우리말에서 선행사 찾기

1 I saw the house whose roof is green.   나는 지붕이 초록색인 집을 보았다.

2 There is a cat whose tail is long on the sofa.   소파 위에 꼬리가 긴 고양이 한 마리가 있다.

3 He went to the restaurant whose chef is French.   그는 주방장이 프랑스인인 식당에 갔다.

4 We met the boy whose father is a firefighter.   우리는 아버지가 소방관인 소년을 만났다.

바로훈련 관계대명사절에 밑줄을 긋고, 문장을 해석하시오.

5 I'm looking for a puppy whose fur is dark gray.

  » _____

6 I have a friend whose hobby is playing the drums.

  » _____

7 They rented the house whose garden was full of flowers.

  » _____

8 Amy discovered the flying machine whose surface was shining.

  » _____

9 I happened to meet the Chinese student whose English was great.

  » _____

Words

roof 지붕
fur 털, 모피
rent (사용료를 내고) 빌리다
shine 빛나다
happen to meet
우연히 만나다

04 관계부사

① I / know / the time / **when** she wakes up.
선행사(시간) 관계부사절(when+주어+동사 ~)

나는 / ~을 안다 / 그 시간 / 그녀가 일어나는

② He / forgot / the place / **where** he grew up.
선행사(장소) 관계부사절(where+주어+동사 ~)

그는 / ~을 잊었다 / 그 장소 / 그가 자랐던

- 관계부사는 「접속사+부사」 역할을 하며, 선행사가 시간을 나타낼 때는 when을, 장소를 나타낼 때는 where를, 이유를 나타낼 때는 why를 쓴다.
- 선행사가 방법을 나타낼 때는 how를 쓰는데, 관계부사 how와 선행사 the way는 함께 쓸 수 없고, 둘 중 하나는 생략된다.

바로예문 영어와 우리말에서 관계부사절 찾기

1 I remember the day when I got promoted.

나는 내가 승진했던 날을 기억한다.

2 This is the place where I lost my card.

이곳이 내가 카드를 잃어버린 장소이다.

3 Tell me the reason why she is angry.

그녀가 화가 난 이유를 내게 말해 줘.

4 I can't understand how you live.

나는 네가 사는 방식을 이해할 수 없다.

바로훈련 알맞은 관계부사를 고르고, 문장을 해석하시오.

5 I don't know the reason why / when she hates me.

》 _____

6 Could I know the time when / where the wedding ceremony starts?

》 _____

7 Robin visited the house why / where his favorite writer was born.

》 _____

8 Mia got lost in the museum how / where she went for a field trip.

》 _____

9 I don't like how / when you talk to my friends.

》 _____

Words

promote 승진시키다
reason 이유
hate 싫어하다
ceremony 식, 의식
be born 태어나다

3 Wilma Rudolph에 관한 다음 글의 내용과 일치하는 것은?

When Wilma Rudolph was four years old, she had a disease **whose** symptoms caused

Wilma Rudolph가 네 살이었을 때, 그녀는 왼쪽 다리의 기능을 잃게 만드는 증상의 병에 걸렸다.

her to lose the use of her left leg. The doctors had said she would not be able to walk. But,

her mother did everything to help Wilma walk again. She took her daughter every week on

a long bus trip to a hospital and learned how to massage legs. By the time Wilma was eight,

she could walk with a leg brace. She played basketball with her brothers every day. Three

years later, her mother came home to find her playing basketball without the brace. A track

coach encouraged her to start running. She participated in the 1960 Rome Olympic Games

and won three gold medals.

① 네 살 때 오른쪽 다리가 불편했다.　　　　② 의사들은 수술을 하면 걸을 수 있다고 말했다.

③ 어머니가 매주 병원에 데리고 갔다.　　　　④ 형제들과 매일 축구를 했다.

⑤ 1960년 로마 올림픽에서 금메달을 네 개 땄다.

Words　symptom 증상　　cause ~을 유발하다, 야기하다　　lose 잃다　　massage 안마하다　　by the time ~할 때까지(는)
brace 보조기　　track coach 육상 코치　　encourage 격려하다

4 다음 글의 빈칸 (A)와 (B)에 들어갈 말로 가장 알맞은 것은?

Jellyfish are free swimmers **whose** basic body structure is like an umbrella. Some living

in fresh water are small and colorless, but most jellyfish are large, colorful, and sometimes

poisonous. In spring ___(A)___ sunshine and food are plentiful, jellyfish appear in large

numbers. The sudden increase causes many problems. When there is too much plankton in

the water or the temperature rises quickly, jellyfish increase in numbers. They destroy ships

and fishing nets. They also hurt travelers at beaches, so it is dangerous to go to beaches

___(B)___ many jellyfish are floating.   *jellyfish 해파리 **plankton 플랑크톤

    (A)   (B)

① when ······ why

② when ······ where

③ how ······ why

④ where ······ why

⑤ where ······ how

Words
structure 구조   fresh water 민물   colorless 색이 없는   poisonous 독성이 있는   plentiful 풍부한   appear 나타나다
sudden 갑작스러운   increase 증가; 증가하다   temperature 기온, 온도   fishing net 어망   float (물 위에) 뜨다

네모 안에서 알맞은 표현을 고르시오.

1 I have a friend who / which lives in Busan.

2 Mr. Brown has a cat who / that has blue eyes.

3 She lost the gloves who / which I gave her.

4 He is a famous actor whom / whose I like most.

5 We know the man which / whose nickname is Iron Man.

6 She doesn't know the reason how / why I like him.

7 I cannot forget the day when / where I got promoted.

8 I can't understand why / how he behaves.

 구문 분석 노트를 완성하시오.

1 This is the eraser which was on my desk.
   ❶   주격 관계대명사절

구문: 선행사가 ❷ ____사물____ 이고, 관계대명사절에 주어가 필요하므로 which가 쓰였다.

해석: 이것은 ❸ _____ 지우개이다.

2 I will meet the girl whom he was looking for.
   선행사   ❶   관계대명사절

구문: 선행사가 사람이고, 관계대명사절에 ❷ ____ (이)가 필요하므로 whom이 쓰였다.

해석: 나는 ❸ _____ 그 소녀를 만날 것이다.

3 There are two frogs whose color is green.
   선행사   ❶   관계대명사절

구문: 선행사가 ❷ _____ 이고, 관계대명사절에 「명사+동사」가 이어지므로 whose가 쓰였다.

해석: 색이 초록인 ❸ _____ 있다.

4 This is the place where she lost her bag.
   선행사   ❶

구문: 선행사가 ❷ _____ (을)를 나타내는 말이며, 관계사절에서 부사 역할을 하는 where가 쓰였다.

해석: 이곳이 그녀가 ❸ _____ 장소이다.

LINK WORKBOOK pp. 34~37

Unit 10

가정법과 최상급 표현

> 실제와 반대되는 상황을
> 가정하여 나타낼 때 가정법을 써요.
> 또한, 다양한 표현을 사용하여
> 최상급의 의미를 나타낼 수 있어요.

가정법

| 가정법 과거 | If I were **you**,
만약 내가 너라면 | I would not give up.
나는 포기하지 않을 텐데 |

| 가정법 과거완료 | If I had seen **the file**,
만약 내가 그 파일을 봤다면 | I could have deleted **it**.
나는 그것을 지울 수 있었을 텐데 |

최상급 표현

| 최상급을 포함한 표현 | He is
그는 ~이다 | the most powerful **person**
가장 영향력 있는 사람 | in the country.
그 나라에서 |

| 원급과 비교급을 이용한 표현 | No other **boy** is
다른 어떤 소년도 ~않다 | taller than **me**
나보다 키가 더 큰 | in my class.
우리 반에서 |

01   가정법 I : 가정법 과거

① **If** I **were** you, / I **would join** the club.
_{If + 주어 + 동사의 과거형}　　_{주어 + 조동사의 과거형 + 동사원형}

만약 내가 너라면 / 나는 그 동아리에 가입할 텐데

② **If** he **studied** harder, / he **could pass** the test.
_{If + 주어 + 동사의 과거형}　　_{주어 + 조동사의 과거형 + 동사원형}

만약 그가 공부를 더 열심히 한다면 / 그는 그 시험을 통과할 수 있을 텐데

- 가정법 과거는 「If + 주어 + 동사의 과거형 ~, 주어 + 조동사의 과거형 + 동사원형 .....」의 형태이다.
- 가정법 과거는 현재 사실과 반대되는 일을 가정하는 것이며, '만약 ~하다면, …할 텐데.'로 해석한다.
- 가정법 과거 문장에서 If절의 be동사는 주로 were를 쓰며, 주절의 조동사는 would, could, might 등을 쓴다.

바로예문　영어와 우리말에서 If절 찾기

1 If I had a dog, I would walk it at the park.　　만약 내가 개를 키운다면 나는 그것을 공원에서 산책시킬 텐데.

2 If Ann were his friend, she might go to his party.　　만약 Ann이 그의 친구라면 그녀는 그의 파티에 갈지도 모를 텐데.

3 If she were my sister, I would be happy.　　만약 그녀가 나와 자매라면 나는 행복할 텐데.

4 We could play soccer if it didn't rain.　　만약 비가 오지 않는다면 우리는 축구를 할 수 있을 텐데.

바로훈련　가정법 과거 표현으로 알맞은 것을 고르고, 문장을 해석하시오.

5 If I know / knew her phone number, I might call her.

» _____

6 If he got up earlier, he won't / wouldn't be late for school.

» _____

7 If I have / had a robot, I could make it do my homework.

» _____

8 We could look / looked around the city if we had enough time.

» _____

9 Ted could read the document if he is / were good at Spanish.

» _____

Words

join 가입하다
pass 통과하다
walk (동물을) 산책시키다
look around 둘러보다
enough 충분한
be good at ~을 잘하다

02 가정법 Ⅱ: 가정법 과거완료

① **If** he **had caught** the bus, / he **would have arrived** on time.
_{If + 주어 + had p.p.}   _{주어 + 조동사의 과거형 + have p.p.}

만약 그가 그 버스를 탔다면 / 그는 제시간에 도착했을 텐데

② **If** we **had met** earlier, / we **could have become** good friends.
_{If + 주어 + had p.p.}   _{주어 + 조동사의 과거형 + have p.p.}

만약 우리가 더 일찍 만났다면 / 우리는 좋은 친구가 될 수 있었을 텐데

- 가정법 과거완료는 「If + 주어 + had p.p. ~, 주어 + 조동사의 과거형 + have p.p. .....」의 형태이다.
- 가정법 과거완료는 과거 사실과 반대되는 일을 가정하는 것이며, '만약 ~했다면, …했을 텐데.'로 해석한다.

바로예문 영어와 우리말에서 주절 찾기

1 She would have told you if she had seen him.　　만약 그녀가 그를 봤다면 그녀는 너에게 말했을 텐데.

2 If he had helped me, I could have done it.　　만약 그가 나를 도왔다면 나는 그것을 할 수 있었을 텐데.

3 If I had been you, I might have lied to him.　　만약 내가 너였다면 나는 그에게 거짓말을 했을지도 모를 텐데.

4 I could have fixed it if I had not been tired.　　만약 내가 피곤하지 않았다면 나는 그것을 고칠 수 있었을 텐데.

바로훈련 괄호 안의 단어를 활용하여 가정법 과거완료 표현을 완성하고, 문장을 해석하시오.

Words

arrive on time
제시간에 도착하다

have a cold 감기에 걸리다

aurora 오로라, 극광

5 Amy wouldn't have had a cold if she _____ a coat. (wear)

» _____

6 If I had not been busy, I could _____ dinner. (cook)

» _____

7 My life would have changed if I _____ her. (call)

» _____

8 If we _____ harder, we might have gotten an A on the test. (study)

» _____

9 If I had had a camera, I would _____ pictures of the aurora. (take)

» _____

1 다음 글의 주제로 가장 알맞은 것은?

If you **were able to go** on a vacation, where **would** you **go**? You might fly to either a

만약 당신이 휴가를 갈 수 있다면 어디로 갈 것인가?

beautiful island or a foreign country far away. Then you should make a reservation for an

airplane ticket. There are two choices. One is to buy a very cheap ticket which only includes

necessary services. You are not given a snack or a drink during the flight. You cannot watch

movies because there are no screens in the airplane. The other is to buy an expensive ticket

which leads you to a big and comfortable airplane. You can eat, drink, and watch movies for

free. But remember the ticket price is almost double!

① 휴가지로 인기 있는 장소

② 비행기표를 예약하는 방법

③ 비행기표를 예약해야 하는 이유

④ 저가 항공을 이용할 때 주의할 점

⑤ 저가 항공과 고가 항공의 비교

Words vacation 휴가   either *A* or *B* A 또는 B 둘 중 하나   foreign 외국의   make a reservation 예약하다   choice 선택지
include 포함하다   necessary 필수적인, 필요한   flight 비행   comfortable 편안한   for free 공짜로

2 글의 흐름으로 보아 주어진 문장이 들어가기에 가장 알맞은 곳은?

One thing I learned from him was that even though French people can speak English, they rarely use it.

When I first went to Paris, everything was challenging for me. Because the people spoke only in French, I had to use lots of body language. Even in subways or museums, there were no English signs. (①) I got frustrated with the language. (②) After coming back from Paris, I thought, "**If I had learned** French before, **I could have enjoyed** the trip more." (③) So, I started learning French. (④) Two years later, when I visited Paris again, I could speak a little French and made a French friend, Pierre. (⑤) When I asked him why, he said, "French is a beautiful language. **If we spoke** English, people **wouldn't learn** French anymore."

Words

rarely 거의 ~ 않는, 드물게   challenging 힘든, 도전적인   body language 몸짓 언어   sign 표지판, 간판   frustrated 좌절한
trip 여행   not ~ anymore 더 이상 ~ 않는

03 최상급 표현 Ⅰ: 최상급을 포함한 표현

① He / is / **the tallest boy in his class**.

the + 최상급 + 명사 + in + 명사구

그는 / ~이다 / 그의 반에서 가장 키가 큰 소년

② It / was / **one of the most exciting movies** / to me.

one of the + 최상급 + 복수 명사

그것은 / ~이었다 / 가장 재미있는 영화들 중 하나 / 내게

최상급 표현과 의미	the + 최상급(+명사) + in/of + 명사(구)	…에서 가장 ~한 (명사)
	one of the + 최상급 + 복수 명사	가장 ~한 … 중 하나
	the + 최상급 + 명사(+that) + 주어 + have/has ever p.p.	지금까지 …한 것 중 가장 ~한 (명사)

바로예문 영어와 우리말에서 최상급 표현 찾기

1 He is <u>one of the fastest athletes</u>.   그는 가장 빠른 운동선수 중 한 명이다.

2 I was the smartest boy of all the students.   나는 모든 학생들 중 가장 똑똑한 소년이었다.

3 She is the bravest girl that I have ever met.   그녀는 내가 만나 본 사람 중 가장 용감한 소녀이다.

4 Where is the biggest hospital in this village?   이 마을에서 가장 큰 병원은 어디인가요?

바로훈련 최상급 표현에 밑줄을 긋고, 문장을 해석하시오.

5 It is the most boring book that I have ever read.

» _____

6 Ms. Gilmore was the best teacher in my school.

» _____

7 This is the most beautiful painting that I have ever seen.

» _____

8 This is one of the most expensive dishes in this restaurant.

» _____

9 Mt. Godwin-Austen is one of the highest mountains in the world.

» _____

Words

athlete 운동선수
village 마을
expensive 비싼
dish 요리

04   최상급 표현 Ⅱ : 원급과 비교급을 이용한 표현

① The turtle lives / **longer than any other sea animal**.
비교급＋than any other＋단수 명사

거북은 산다 / 다른 어떤 바다 동물보다 더 오래

② **No other band** is / **as famous as the Beatles**.
No other A   as＋원급＋as B

다른 어떤 밴드도 ~하지 않다 / 비틀즈만큼 유명한

원급과 비교급을 이용한 최상급 표현과 의미	비교급＋than any other＋단수 명사	다른 어떤 …보다도 더 ~한
	No (other) A ~＋비교급＋than B	(다른) 어떤 A도 B보다 ~하지 않다
	No (other) A ~＋as＋원급＋as B	(다른) 어떤 A도 B만큼 ~하지 않다

 우리말 해석 완성하기

1   No other country is as big as Russia.   다른 어떤 나라도 러시아만큼 <u>크지 않다</u>.

2   Blueberries are healthier than any other fruit.   블루베리는 다른 어떤 과일보다도 _____.

3   Nothing was more important than love to her.   그녀에게는 다른 어떤 것도 사랑보다 _____.

4   She is kinder than any other student in the class.   그녀는 학급의 다른 어떤 학생보다도 _____.

최상급 표현으로 알맞은 것을 고르고, 문장을 해석하시오.

5   No other boy can run as fast / faster as Mason.

   » _____

6   No other man is strong / stronger than me in this area.

   » _____

7   There is no place more comfortable as / than my home.

   » _____

8   He is wiser than any other member / members of his family.

   » _____

9   She is diligent / more diligent than any other person in the club.

   » _____

Words

turtle 거북
healthy 건강에 좋은
wise 현명한
diligent 근면한

3 다음 글의 밑줄 친 부분 중, 어법상 틀린 것은?

Earthquakes are one of ① the more terrible natural disasters. When they take place,

지진은 최악의 자연재해 중 하나이다.

buildings and houses fall down, and many people die or ② are seriously injured. So, why

does an earthquake take place? Deep in the earth, energy gathers. This energy gets ③ bigger

and bigger, and at its peak, it is suddenly released. At this moment, the land surface cracks,

④ shaking violently. On September 28th, 2018, a strong earthquake hit Indonesia. Because

of this terrible disaster, thousands of people died and over 70,000 houses were damaged.

Even though many countries ⑤ are helping them out, Indonesia still needs more help.

Words   earthquake 지진   fall down 무너지다, 쓰러지다   injure 부상을 입히다   gather 모이다   peak 정점, 최고조
release 방출하다   surface 표면   crack 갈라지다   violently 격렬하게   hit (재난이) 발생하다

4 Maria Mitchell에 관한 다음 글의 내용과 일치하지 <u>않는</u> 것은?

Do you know there are lots of craters on the moon? One of the craters was named after Maria Mitchell. Mitchell was a very famous astronomer. When she was young, she loved watching the stars. So she studied astronomy with the support of her father. On clear nights, she watched the skies through her father's telescope. Then, one night, she saw something special—a comet. Others across the world had seen the comet, too. But Mitchell discovered it **faster than any other observer**. The new comet was called Miss Mitchell's Comet. She received a gold medal from the King of Denmark for her discovery. She was the first woman in the U.S. to become a professional astronomer.

* crater 분화구   ** comet 혜성

① 달에 그녀의 이름을 딴 분화구가 있다.   ② 어렸을 때 별을 관찰하는 것을 좋아했다.

③ 아버지의 망원경으로 밤하늘을 관찰했다.   ④ 다른 관찰자들과 공동으로 혜성을 발견했다.

⑤ 미국 최초의 여성 천문학자가 되었다.

Words

name after ~을 따라 이름 짓다   astronomer 천문학자   astronomy 천문학   support 지원, 지지   telescope 망원경
observer 관찰자   professional 전문적인

네모 안에서 알맞은 표현을 고르시오.

1 If I have / had a robot, I could make it clean my room.

2 We could have / had breakfast if we had enough time in the morning.

3 If I had win / won a lottery, my life would have changed a lot.

4 I wouldn't have / have had a headache if I had gone to sleep early.

5 This is the scarier / scariest movie that I have ever seen.

6 It is one of the most interesting book / books to me.

7 No other person is richer as / than Mr. Smith in this village.

8 The cheetah can run faster than any other land animal / animals .

 구문 분석 노트를 완성하시오.

1 If I were you, I would exericise regularly.
If + 주어 + ❶   주어 + 조동사의 과거형 + 동사원형

구문: ❷ 현재 사실과 반대되는 일을 가정하는 가정법 과거가 쓰였다.

해석: ❸   나는 규칙적으로 운동할 텐데.

2 If I had seen her, I would have called you.
If + 주어 + had p.p.   주어 + 조동사의 과거형 + ❶

구문: 과거 사실과 반대되는 일을 가정하는 가정법 ❷ (이)가 쓰였다.

해석: 만약 내가 그녀를 봤다면 너에게 ❸   .

3 He is one of the fastest athletes in the world.
one of the + 최상급 + ❶

구문: ❷   표현이 포함된 문장이다.

해석: 그는 세상에서 ❸   중 한 명이다.

4 Salt is more important than any other food.
비교급 + than any other + ❶

구문: ❷ (을)를 이용한 최상급 표현이 포함된 문장이다.

해석: 소금은 다른 어떤 ❸   더 중요하다.

LINK > WORKBOOK pp. 38~41

배움으로 행복한 내일을 꿈꾸는
천재교육 커뮤니티 안내 . . .

교재 안내부터 구매까지 한 번에!
천재교육 홈페이지

자사가 발행하는 참고서, 교과서에 대한 소개는 물론
도서 구매도 할 수 있습니다. 회원에게 지급되는 별을 모아
다양한 상품 응모에도 도전해 보세요!

다양한 교육 꿀팁에 깜짝 이벤트는 덤!
천재교육 인스타그램

천재교육의 새롭고 중요한 소식을 가장 먼저 접하고 싶다면?
천재교육 인스타그램 팔로우가 필수!
깜짝 이벤트도 수시로 진행되니 놓치지 마세요!

수업이 편리해지는
천재교육 ACA 사이트

오직 선생님만을 위한, 천재교육 모든 교재에 대한 정보가 담긴
아카 사이트에서는 다양한 수업자료 및 부가 자료는 물론
시험 출제에 필요한 문제도 다운로드하실 수 있습니다.

https://aca.chunjae.co.kr

천재교육을 사랑하는 샘들의 모임
천사샘

학원 강사, 공부방 선생님이시라면 누구나 가입할 수 있는 천사샘!
교재 개발 및 평가를 통해 교재 검토진으로 참여할 수 있는 기회는 물론
다양한 교사용 교재 증정 이벤트가 선생님을 기다립니다.

아이와 함께 성장하는 학부모들의 모임공간
튠맘 학습연구소

튠맘 학습연구소는 초·중등 학부모를 대상으로 다양한 이벤트와 함께
교재 리뷰 및 학습 정보를 제공하는 네이버 카페입니다.
초등학생, 중학생 자녀를 둔 학부모님이라면 튠맘 학습연구소로 오세요!

바로
읽는
구문
독해

바로 읽는 구문 독해

구문

LEVEL

2

WORKBOOK

**CHUNJAE
EDUCATION, INC.**

바로 읽는 독해

구문

WORKBOOK

바로 읽는 구문 독해
WORKBOOK
LEVEL 2

Unit 1
주어 자리에 오는 것

A 이 단원에서 배운 내용을 정리하시오.

	명사(구)	명사, 명사 역할을 하는 둘 이상의 단어
	대명사	주격 [1]_____, 지시대명사, 의문대명사, 부정대명사
주어 자리에 오는 것	[2]_____	「동사원형＋-ing」
	to부정사	「to＋[3]_____」
	[4]_____	That절(「That＋주어＋동사 ～」), [5]_____(「What＋주어＋동사 ～」)
	가주어 It	진주어(to부정사구/ [6]_____) 대신 주어 자리에 쓰임.

B 다음 영어는 우리말로, 우리말은 영어로 쓰시오.

1 allow _____
2 duty _____
3 regularly _____
4 soil _____
5 squirrel _____
6 behavior _____
7 lay _____
8 attraction _____
9 distance _____
10 routine _____

11 휴식을 취하다 _____
12 차고 _____
13 답장을 보내다 _____
14 채소 _____
15 환자 _____
16 싸우다 _____
17 승진시키다 _____
18 깡충 뛰다 _____
19 고래 _____
20 ~와 비슷하다 _____

C 보기에서 알맞은 단어를 골라 빈칸에 쓰시오.

> **보기**　　duty　　saving　　uncertain　　matters　　belongs

1 This teddy bear _____ to my little brother.
(이 곰 인형은 내 남동생의 것이다.)

2 To care for the dogs is her only _____.
(그 개들을 돌보는 것이 그녀의 유일한 임무이다.)

3 What _____ to him is to get up early.
(그에게 중요한 것은 일찍 일어나는 것이다.)

4 It is _____ that he will come to our party.
(그가 우리의 파티에 올 것인지는 불확실하다.)

5 _____ water is good for the environment.
(물을 절약하는 것은 환경에 좋다.)

D 네모 안에서 어법에 맞는 표현을 고르고, 문장을 해석하시오.

1 Tony and I / me don't have much time to play together.

　» _____

2 Sing / Singing loudly is not allowed in public places.

　» _____

3 What you / your should do is to answer the questions.

　» _____

4 It / That is hard to solve this problem alone.

　» _____

5 To follow the school rules is / are very important.

　» _____

Unit 1 주어 자리에 오는 것

E 우리말에 맞게 주어진 표현을 바르게 배열하시오.

1 그 꽃들에 물을 주는 것은 그의 일과가 되었다.

the flowers   his routine   watering   has become

» _____

2 그녀에게 가장 중요한 것은 그녀의 가족이다.

her family   what   is   to her   is   most important

» _____

3 운동하는 것은 환자들에게 중요하다. patients   to   exercise   important   to   is

» _____

4 캥거루들이 이 주머니를 가지는 것은 매우 중요하다.

very important   is   to   for kangaroos   it   this pouch   have

» _____

5 Tommy가 생각한 것은 벼룩시장에서 오렌지 주스를 파는 것이었다.

Tommy   was   orange juice   thought of   to sell   what   the flea market   at

» _____

6 그녀가 경찰 시험을 통과했다는 것은 그녀의 가족을 기쁘게 했다.

pleased   she   it   passed   her family   that   the police exam

» _____

7 누구나 우리 춤 동아리의 회원이 될 수 있다.

can   a member of   become   our   anybody   dance club

» _____

8 그는 내 가장 친한 친구 중 한 명이다.

he   friends   of   is   one   closest   my

» _____

F **다음 주어진 표현을 활용하여 문장을 완성하시오.**

1 고래들은 다른 물고기들처럼 알을 낳지 않는다. whales   lay

   » _____ like other fish.

2 그 시사 잡지에 무언가가 빠져 있다. something   missing

   » _____ in the news magazine.

3 지나친 과속 운전은 많은 사고를 일으킨다. drive   cause

   » _____ many accidents.

4 우리가 점심으로 피자를 먹었다는 것은 비밀이다. eat   lunch

   » _____ is a secret.

5 그녀의 사촌이 우리 모두를 속인 것은 사실이었다. that   deceive   all of us

   » It was true _____.

6 해변으로 가는 것은 여러분에게 많은 즐거움을 준다. go   beach

   » _____ gives you lots of fun.

7 채소들을 심는 것은 많은 사람들이 생각하는 것만큼 단순하지 않다. plant   simple

   » _____ as many people think.

8 저에게 진실을 말씀해 주시다니 당신은 정말 친절하시군요. very kind   of   tell

   » _____ me the truth.

Unit 2
목적어 자리에 오는 것

A 이 단원에서 배운 내용을 정리하시오.

목적어 자리에
오는 것

명사(구)	명사, 명사 역할을 하는 둘 이상의 단어
대명사	[1]_____ 인칭대명사, 부정대명사
[2]_____	「동사원형 + -ing」: avoid, enjoy, finish, keep, mind, quit, stop 등의 동사 뒤
[3]_____	「to + 동사원형」: agree, decide, expect, plan, refuse, want 등의 동사 뒤
명사절	that절(「That + 주어 + 동사 ~」), what절(「what + 주어 + 동사 ~」), [4]_____ (「의문사 + 주어 + 동사 ~」)
가목적어 it	「주어 + 동사 + [5]_____ + 형용사/명사 + to부정사(진목적어) ~」

B 다음 영어는 우리말로, 우리말은 영어로 쓰시오.

1 noodle _____

2 pigeon _____

3 electricity _____

4 apologize _____

5 spaceship _____

6 hide _____

7 refund _____

8 alien _____

9 modern _____

10 puppy _____

11 거대한 _____

12 감독 _____

13 목적 _____

14 예측[예보]하다 _____

15 여기다, 생각하다 _____

16 간편한, 소형의 _____

17 깨닫다 _____

18 편리한 _____

19 최근에 _____

20 애완동물 _____

C 보기에서 알맞은 단어를 골라 빈칸에 쓰시오.

> 보기   manners   refuse   revolution   prepared   avoid

1 She _____ something special for all of you here.
(그녀는 여기 모인 여러분 모두를 위해 특별한 것을 준비했다.)

2 She will _____ to refund the money.
(그녀는 환불하는 것을 거절할 것이다.)

3 Do you know when the _____ took place?
(너는 그 혁명이 언제 일어났는지를 아니?)

4 Our teacher considers it important to have good _____.
(우리 선생님은 예의를 갖추는 것을 중요하게 여긴다.)

5 I could not _____ meeting her.
(나는 그녀를 만나는 것을 피할 수 없었다.)

D 네모 안에서 어법에 맞는 표현을 고르고, 문장을 해석하시오.

1 They experienced it / something strange in the desert.

   » _____

2 He didn't expect getting / to get to the station so late.

   » _____

3 I wonder it / where she will go on winter vacation.

   » _____

4 He thinks it / that convenient to have a car.

   » _____

5 She gave we / us bookmarks yesterday.

   » _____

Unit 2 목적어 자리에 오는 것

E 우리말에 맞게 주어진 표현을 바르게 배열하시오.

1 그녀는 나에게 그녀의 비밀을 말해 주었다. told   secret   she   me   her

» _____

2 그들은 야외 결혼식을 하려고 계획하고 있다.

wedding   an outdoor   planning   are   they   to   have

» _____

3 사람들은 이 거대한 기계를 다양한 목적으로 사용했다.

this   machine   used   purposes   people   for   huge   various

» _____

4 그들은 내가 사과를 하고 당신을 위해 무언가 좋은 일을 해야 한다고 말했다.

I   apologize   they   that   and do   said   should   you   good for   something

» _____

5 나는 프랑스의 대통령이 누구인지 몰랐다.

of France   was   who   I   know   didn't   the President

» _____

6 그 강한 바람은 하늘에 연을 날리는 것을 어렵게 만들었다.

difficult   winds   made   to   in   kites   the sky   the   strong   it   fly

» _____

7 그녀는 L.A.로 떠나기로 결심했다. she   to   L.A.   decided   for   leave

» _____

8 우리는 그가 곧 나아지기를 바란다. that   hope   he   soon   will   we   get better

» _____

F 다음 주어진 표현을 활용하여 문장을 완성하시오.

1 우리 나가서 국수를 먹지 않을래? why don't   and   have

» _____ some noodles?

2 이 샐러드에 겨자 드레싱을 좀 더해도 괜찮을까요? mind   add   mustard dressing

» Would you _____ on this salad?

3 당신은 그렇게 하는 것이 어렵다고 느낄지도 모른다. think   hard   so

» You may _____ .

4 우리는 그 행사가 언제 열렸는지 모른다. the event   take place

» We don't know _____ .

5 그들 대부분은 그 회사가 무엇인가를 숨기고 있다는 것을 느꼈다. that   company   hiding

» Most of them felt _____ .

6 그는 어제부터 일기를 쓰기 시작했다. begin   keep a diary

» He _____ from yesterday.

7 그녀는 공원에서 강아지를 산책을 시킬 필요가 있었다. walk   the puppy

» She _____ in the park.

8 나는 그 소녀를 찾는 것이 가능하다고 믿는다. possible   find

» I believe _____ .

Unit 3
보어 자리에 오는 것

A 이 단원에서 배운 내용을 정리하시오.

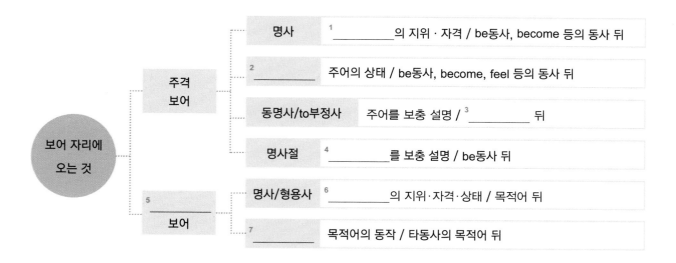

	명사	¹_____의 지위 · 자격 / be동사, become 등의 동사 뒤
주격 보어	²_____	주어의 상태 / be동사, become, feel 등의 동사 뒤
	동명사/to부정사	주어를 보충 설명 / ³_____ 뒤
	명사절	⁴_____를 보충 설명 / be동사 뒤
⁵_____ 보어	명사/형용사	⁶_____의 지위·자격·상태 / 목적어 뒤
	⁷_____	목적어의 동작 / 타동사의 목적어 뒤

보어 자리에 오는 것

B 다음 영어는 우리말로, 우리말은 영어로 쓰시오.

1 alternative _____
2 grain _____
3 brilliant _____
4 assignment _____
5 blanket _____
6 stand _____
7 kitten _____
8 ancient _____
9 starve _____
10 landscape _____

11 태도 _____
12 활동 _____
13 옥수수 _____
14 사라지다 _____
15 목걸이 _____
16 녹다 _____
17 유산 _____
18 변호사 _____
19 바다표범 _____
20 멸종 위기에 처한 _____

C 보기에서 알맞은 단어를 골라 빈칸에 쓰시오.

> **보기**   blanket   common   ordered   polite   newborn

1 David's little sister is kind and _____.
(David의 여동생은 친절하고 예의바르다.)

2 One _____ thing between Dad and Mom is their hobby.
(아빠와 엄마 사이의 한 가지 공통점은 그들의 취미이다.)

3 The _____ will keep you warm in very cold weather.
(그 담요는 몹시 추운 날씨에 너를 따뜻하게 해 줄 것이다.)

4 She named the _____ puppy Toby.
(그녀는 갓 태어난 강아지를 Toby라고 이름 지었다.)

5 This is what you _____ for lunch.
(이것은 네가 점심으로 주문했던 것이다.)

D 네모 안에서 어법에 맞는 표현을 고르고, 문장을 해석하시오.

1 We felt tired / tiredly because of the difficult exam.

   ≫ _____

2 One difficult thing for me is make / to make friends.

   ≫ _____

3 My parents didn't allow me play / to play outside in the evening.

   ≫ _____

4 She will find it exciting / excitingly at once.

   ≫ _____

5 The problem is it / that they don't have enough money.

   ≫ _____

Unit 3 보어 자리에 오는 것

E 우리말에 맞게 주어진 표현을 바르게 배열하시오.

1 내가 지금까지 읽어 본 최고의 소설은 '동물 농장'이다.

have is novel *Animal Farm* read the best ever I that

» _____

2 그 게임의 규칙은 아무 말도 하지 않는 것이다.

the rule say of to any words the game is not

» _____

3 그의 선생님은 그에게 또 하나의 작문 과제를 제출하라고 말했다.

told writing assignment his teacher another hand in him to

» _____

4 나의 꿈은 유명한 가수가 되는 것이다. to my is famous dream singer a become

» _____

5 그의 무례한 태도는 내가 참지 못하는 것이다. attitude his I what is rude can't stand

» _____

6 그녀는 나에게 많은 책을 읽으라고 조언했다.

advised many books she read me to

» _____

7 그것에 관한 한 가지 좋은 이유는 멸종 위기에 처한 동물들을 구하는 것이다.

one is to endangered good animals save reason for it

» _____

8 불가사의한 일은 그 차가 어느날 밤 사라졌다는 것이다.

that is disappeared a mystery one night the car

» _____

F 다음 주어진 표현을 활용하여 문장을 완성하시오.

1 우리 모두는 그 소식을 듣고 행복했다. happy   hear

   » All of us _____ the news.

2 그 동물원에서 가장 재미있었던 활동은 기린에게 먹이를 주는 것이었다. be   feed   giraffe

   » The most fun activity in the zoo _____.

3 그녀가 가장 좋아하는 활동은 일요일마다 강을 따라 자전거를 타는 것이다. ride   a bicycle

   » _____ along the river on Sundays.

4 저 장화는 정확히 그가 찾고 있던 것이다. exactly   been   look for

   » Those boots _____.

5 그녀의 부모님은 그녀가 무용가가 될 거라고 기대했다. expected   be   a dancer

   » Her parents _____.

6 나는 그에게 그곳에 절대 가지 말라고 말했다. tell   never   go

   » I _____.

7 그 결과는 북극곰이 충분한 먹이를 찾지 못한다는 것이다. polar bears   hardly   eat

   » The result is _____.

8 나초와 타코는 옥수수로 만든 두 가지 멕시코 음식이다. Mexican   made from   corn

   » Nachos and tacos _____.

Unit 4

시제

A 이 단원에서 배운 내용을 정리하시오.

시제	현재진행	am/is/are + 동사원형-ing	~하고 있다/[1]_____
	과거진행	[2]_____ + 동사원형-ing	~하고 있었다/~하는 중이었다
	[3]_____	have/has + p.p.	• 경험: ~한 경험이 있다 • 완료: (막) ~했다 • 계속: ~해 왔다 • 결과: ~해 버렸다
	과거완료	[4]_____ + p.p.	과거의 시간적 순서 강조
	미래시제	will/be [5]_____ to + 동사원형	~할 것이다
	미래진행	will be + 동사원형-ing	[6]_____

B 다음 영어는 우리말로, 우리말은 영어로 쓰시오.

1 childhood _____

2 schedule _____

3 beloved _____

4 diverse _____

5 nowadays _____

6 dessert _____

7 article _____

8 pack _____

9 suit _____

10 familiar _____

11 (대걸레로) 닦다 _____

12 제한하다 _____

13 열정적으로 _____

14 손상을 주다 _____

15 방송하다 _____

16 천재 _____

17 집중하다 _____

18 관현악단 _____

19 습관 _____

20 개인의, 각각의 _____

C 보기에서 알맞은 단어를 골라 빈칸에 쓰시오.

| 보기 | local   departure   familiar   invented   attend |

1 We are going to have dinner in the _____ restaurant.
(우리는 그 지역의 식당에서 저녁을 먹을 것이다.)

2 I will _____ the science camp this summer.
(나는 올 여름에 과학 캠프에 참석할 것이다.)

3 Before the car was _____, people had used horses.
(자동차가 발명되기 전에 사람들은 말을 이용했었다.)

4 We will put off our _____ because of the heavy snow.
(우리는 폭설 때문에 출발을 미룰 것이다.)

5 Haven't we met before? You look _____ to me.
(우리 이전에 만난 적 없나요? 당신은 제게 낯이 익습니다.)

D 네모 안에서 어법에 맞는 표현을 고르고, 문장을 해석하시오.

1 She has learn / learned Spanish for two years.

  » _____

2 Children are play / playing soccer on the playground.

  » _____

3 Harry and his friend be / were waiting for me at the airport.

  » _____

4 Jack said that he has / had worked as a fahion model before.

  » _____

5 She is going see / to see a dentist this Friday.

  » _____

Unit 4 시제

E 우리말에 맞게 주어진 표현을 바르게 배열하시오.

1 사람들은 미래에 우주를 여행할 것이다.

space　the　travel　going　in　people　to　future　are　in

» _____

2 그들은 2016년부터 서로를 알아 왔다.

known　other　2016　each　have　since　they

» _____

3 아빠는 그의 낚싯대와 사진기를 싸고 계신다.

camera　is　pole　and　his　fishing　packing　Dad

» _____

4 우리는 우리가 지난달에 잃어버렸던 우리의 애완동물을 찾았다.

we　that　our　last　pet　lost　had　we　month　found

» _____

5 그녀는 지금 그녀의 새끼 고양이를 찾고 있다.

is　kitten　she　for　looking　her　now

» _____

6 바다거북들은 거친 파도 때문에 해안에 이르지 못할 것이다.

wild waves　because　won't　the shore　sea turtles　reach　of

» _____

7 그녀가 집에 왔을 때 나는 내 방 청소를 막 끝냈었다.

I　finished　room　she　cleaning　came　had　my　home　just　when

» _____

8 그의 아버지 역시 음악가였는데, 그를 유럽으로 데려갔다.

who　to　his father,　Europe　had　a musician,　took　been　him

» _____

F 다음 주어진 표현을 활용하여 문장을 완성하시오.

1 내가 점심을 먹던 중에 전화벨이 울렸다. eat

   » The phone rang while _____.

2 그는 아직 후식으로 무엇을 주문할지 정하지 않았다. have   decide   to   order

   » _____ for dessert yet.

3 대부분의 학생들은 음악을 듣는 습관을 발전시켜 왔다. develop   a habit

   » Most students _____ of listening to music.

4 우리는 누군가가 우리의 집에 침입했었다는 것을 알았다. break   into

   » We found somebody _____.

5 그들은 내일 오후에 프랑스로 날아가고 있을 것이다. fly   France

   » _____ tomorrow afternoon.

6 그는 내가 휴가를 떠나기 전에 내게 전화하려고 했었다. try   to   call

   » _____ before I left for vacation.

7 나의 가장 친한 친구인 Jason이 스페인으로 가 버렸다. gone   Spain

   » My best friend Jason _____.

8 요즘에 그녀는 자신이 드럼 연주하는 영상을 인터넷으로 방송하고 있다. broadcast   drum-playing

   » _____ on the Web these day.

Unit 5

조동사

A

이 단원에서 배운 내용을 정리하시오.

조동사	능력, 가능	can, be able to	1 _____	
	부탁	Will/² _____ +주어+동사 ...?	~해 줄래?	
		Would/Could+주어+동사 ...?	~해 주시겠습니까?	
	의무, 필요	must, have/has to, should	3 _____	
	충고	should	~하는 것이 좋겠다	
	허락	can, may	4 _____	
	추측	may, might	~할지도 모른다	
		must	5 _____	
		cannot	~일 리 없다	
	과거의 습관	would, ⁶ _____	~하곤 했다	
	기타 표현	would like to	~하고 싶다	
		had better	7 _____	

B

다음 영어는 우리말로, 우리말은 영어로 쓰시오.

1 judge _____

2 submit _____

3 further _____

4 mayor _____

5 yield _____

6 propose _____

7 destroy _____

8 peaceful _____

9 soldier _____

10 recipe _____

11 경쟁하다 _____

12 정책 _____

13 지폐 _____

14 벌, 처벌 _____

15 선출하다 _____

16 광대 _____

17 항만, 항구 _____

18 공격; 공격하다 _____

19 측정하다 _____

20 재료 _____

C 보기에서 알맞은 단어를 골라 빈칸에 쓰시오.

보기	bare	fine	purse	medicine	spend

1 She is able to catch fish with her _____ hands.
(그녀는 맨손으로 물고기를 잡을 수 있다.)

2 I'll _____ everyone here in this court fifty cents.
(나는 이 법정에 있는 모두에게 50센트씩의 벌금을 부과할 것입니다.)

3 He should take _____ for his stomachache.
(그는 복통 때문에 약을 먹어야 한다.)

4 They used to visit the town and _____ winter there.
(그들은 그 마을을 방문하여 그곳에서 겨울을 보내곤 했다.)

5 Your _____ must be in your room.
(네 지갑은 네 방에 있는 것이 틀림없다.)

D 네모 안에서 어법에 맞는 표현을 고르고, 문장을 해석하시오.

1 He was not able solve / to solve the science problem.

» _____

2 She able / should take a break for a while.

» _____

3 She insists that the missing pet must / have to be in the forest.

» _____

4 You had able / better go to the school camp and make friends.

» _____

5 My cousin used tell / to tell me scary stories at night.

» _____

Unit 5 조동사

E 우리말에 맞게 주어진 표현을 바르게 배열하시오.

1 그것이 그의 진짜 이름일 리 없다.

cannot   name   that   his   real   be

» _____

2 나는 오전 7시까지 사무실에 가 있어야 한다.

7 a.m.   be   have   I   the office   to   in   by

» _____

3 할머니와 나는 주말에는 외식을 하곤 했다.

weekends   used   I   on   eat   Grandma   out   to   and

» _____

4 저를 기차역까지 차로 태워다 주시겠어요?

station   could   a ride   to   me   give   the train   you

» _____

5 여러분 모두는 그 과제를 위해 새로운 계획을 제안해도 됩니다.

you   all   the project   propose   may   for   a new plan   of

» _____

6 그녀는 내일까지 그녀의 보고서를 제출해야 한다.

report   to   she   submit   tomorrow   has   her   by

» _____

7 월드컵은 전 세계에서 가장 인기 있는 스포츠 행사일지도 모른다.

the world   be   most   the World Cup   sporting   in   may   the   popular   event

» _____

8 모든 군인들은 하와이의 멋진 날씨와 아름다운 해변을 즐길 수 있었다.

the   Hawaii   beautiful beaches   of   all   enjoy   soldiers   could   the nice weather   and

» _____

F 다음 주어진 표현을 활용하여 문장을 완성하시오.

1 그 설탕을 제게 건네주시겠어요? could pass

» _____ the sugar, please?

2 소방관들은 일할 때 그들의 헬멧을 써야 한다. must helmets

» Firefighters _____ when they work.

3 여러분은 한 개인이 자신의 손주들을 위해 빵을 훔쳐야 하는 도시에 살고 있습니다. a person have steal

» You live in a town where _____ for her grandchildren.

4 나는 2분 동안 숨을 참을 수 있다. can hold

» I _____ for two minutes.

5 광대가 나의 어린 여동생의 생일 파티에 올지도 모른다. a clown might

» _____ my baby sister's birthday party.

6 그는 오늘 저녁으로 매운 음식을 먹고 싶다. would have

» _____ spicy food for dinner today.

7 Parker 씨는 오늘 그곳에 있을 리 없다. be there

» _____ today.

8 당신은 모든 재료를 계량하기 위해 같은 컵이나 그릇을 사용하는 것이 좋다. better bowl

» You _____ to measure all the ingredients.

Unit 6
수동태

A 이 단원에서 배운 내용을 정리하시오.

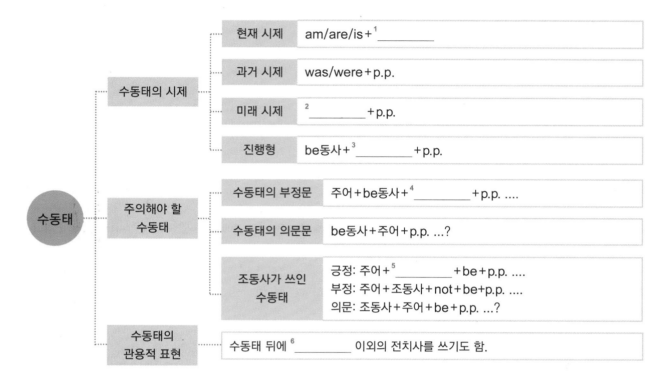

수동태	수동태의 시제	현재 시제	am/are/is+¹_____

수동태의 시제
- 현재 시제: am/are/is+ ^{1}_____
- 과거 시제: was/were+p.p.
- 미래 시제: ^{2}_____+p.p.
- 진행형: be동사+ ^{3}_____+p.p.

주의해야 할 수동태
- 수동태의 부정문: 주어+be동사+ ^{4}_____+p.p. ....
- 수동태의 의문문: be동사+주어+p.p. ...?
- 조동사가 쓰인 수동태:
  - 긍정: 주어+ ^{5}_____+be+p.p. ....
  - 부정: 주어+조동사+not+be+p.p. ....
  - 의문: 조동사+주어+be+p.p. ...?

수동태의 관용적 표현
- 수동태 뒤에 ^{6}_____ 이외의 전치사를 쓰기도 함.

B 다음 영어는 우리말로, 우리말은 영어로 쓰시오.

1 borrow _____

2 document _____

3 century _____

4 vegetarian _____

5 threaten _____

6 construct _____

7 pollution _____

8 provide _____

9 accident _____

10 overnight _____

11 게시하다 _____

12 조각 _____

13 이익, 혜택 _____

14 자선 단체 _____

15 수입하다 _____

16 수익 _____

17 판, 판자 _____

18 태양의 _____

19 철학 _____

20 신호 _____

C 보기에서 알맞은 단어를 골라 빈칸에 쓰시오.

> 보기   economy   allowed   refrigerator   imported   pollution

1 Oceans are threatened by _____.
(바다는 공해로 인해 위협받는다.)

2 These oranges should be put into the _____.
(이 오렌지들은 냉장고에 넣어져야 한다.)

3 Is this coffee _____ from Kenya?
(이 커피는 케냐에서 수입되나요?)

4 People are worried about the _____.
(사람들은 경제를 걱정한다.)

5 Are food and drinks _____ in this concert hall?
(이 공연장에서 음식과 음료는 허용되나요?)

D 네모 안에서 어법에 맞는 표현을 고르고, 문장을 해석하시오.

1 This article was written / writing by my cousin.

   » _____

2 A new building was been / being constructed.

   » _____

3 Did / Were the bottles moved to the fifth floor?

   » _____

4 The news about the typhoon was not known at / to many people.

   » _____

5 The movie is based on / about historical events.

   » _____

Unit 6 수동태

E   우리말에 맞게 주어진 표현을 바르게 배열하시오.

1 나는 음악에 관심이 있다.   music | am | in | I | interested

» _____

2 온 언덕이 꽃들로 뒤덮였다.   flowers | covered | all | with | were | hills

» _____

3 이 소설은 많은 사람들에 의해 사랑받는다.   people | loved | novel | is | this | by | many

» _____

4 이 카드는 Jacob에게 전달되어야 한다.   card | Jacob | should | to | this | delivered | be

» _____

5 이 외투는 유명한 디자이너에 의해 디자인되었다.

coat | a | by | famous | this | designer | designed | was

» _____

6 그 과학 수업은 새로 오신 선생님에 의해 가르쳐질 것이다.

class | by | science | teacher | a | will | the | taught | be | new

» _____

7 시리얼은 곡물로 만든 아침 식사 식품이다.

cereal | that | is | grains | food | is | a | breakfast | made from

» _____

8 교내 벼룩시장이 그날 열릴 것이다.   will | the | held | flea market | on | be | school | that day

» _____

F 다음 주어진 표현을 활용하여 문장을 완성하시오.

1 이 운동화들은 그 회사에 의해 만들어진다. made company

» These sneakers _____ .

2 그 가구는 그의 집으로 옮겨질 것이다. the furniture carried

» _____ to his house.

3 모든 음식과 옷가지는 양로원에 보내졌다. all clothing sent

» _____ to the nursing home.

4 그 문은 갈색으로 칠해져야 한다. must painted brown

» The door _____ .

5 중국에서 중요한 것들은 값비싼 비단 위에 쓰였다. written silk

» In China, important things _____ .

6 그들은 야구 경기에 무척 흥분했다. very excited

» They _____ the baseball game.

7 나의 저녁은 부엌에서 조리되고 있다. dinner cooked

» _____ in the kitchen.

8 당신이 별로 사용하지 않았던 몇몇 물건들이 좋은 가격에 판매될 수 있다. can sold

» Some items that you didn't use much _____ .

Unit 7
수식어

A 이 단원에서 배운 내용을 정리하시오.

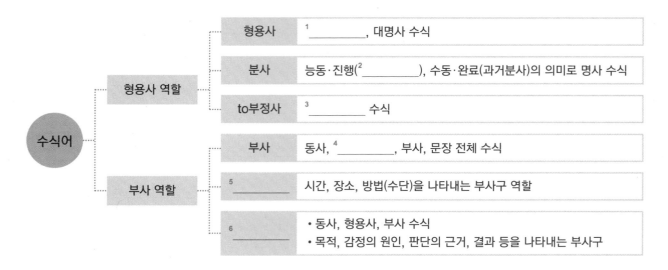

수식어	형용사 역할	형용사	1_____, 대명사 수식
		분사	능동·진행(2_____), 수동·완료(과거분사)의 의미로 명사 수식
		to부정사	3_____ 수식
	부사 역할	부사	동사, 4_____, 부사, 문장 전체 수식
		5_____	시간, 장소, 방법(수단)을 나타내는 부사구 역할
		6_____	• 동사, 형용사, 부사 수식 • 목적, 감정의 원인, 판단의 근거, 결과 등을 나타내는 부사구

B 다음 영어는 우리말로, 우리말은 영어로 쓰시오.

1 Mars _____

2 bracelet _____

3 freedom _____

4 orchard _____

5 restore _____

6 cabin _____

7 own _____

8 attention _____

9 extremely _____

10 surface _____

11 기침하다 _____

12 모이다 _____

13 지방 _____

14 깎다, 면도하다 _____

15 행성 _____

16 눈썹 _____

17 (사업을) 운영하다 _____

18 코를 골다 _____

19 ~을 해방하다 _____

20 전투 _____

C 보기에서 알맞은 단어를 골라 빈칸에 쓰시오.

> **보기**   delighted   unchanging   cozy   complained   argument

1 He _____ about the service politely.
(그는 서비스에 관해 정중하게 불평했다.)

2 I am _____ to hear the good news.
(나는 그 좋은 소식을 들어서 기쁘다.)

3 We have 50 _____ cabins near the Green River.
(우리는 그린강 주변에 50개의 아늑한 오두막을 가지고 있습니다.)

4 The _____ about slaves led them to fight in the war.
(노예에 관한 논쟁은 그들이 전쟁에서 싸우게 했다.)

5 She is famous for her _____ beauty.
(그녀는 그녀의 변하지 않는 아름다움으로 유명하다.)

D 네모 안에서 어법에 맞는 표현을 고르고, 문장을 해석하시오.

1 She is looking for someone creative / creatively .

    » _____

2 This was his first poem written / to write in French.

    » _____

3 I bought some pencils to write / write with .

    » _____

4 He tried to not / not to lose my attention in the meeting.

    » _____

5 She has been working for the company in / for a long time.

    » _____

Unit 7 수식어

E 우리말에 맞게 주어진 표현을 바르게 배열하시오.

1 나는 아름다운 일출을 보고 있었다. sunrise   was   the   watching   I   beautiful

   » _____

2 의자에 앉아서 코를 골고 있는 소녀는 나의 여동생이다.

   my sister   in   is   the girl   snoring   the chair

   » _____

3 그는 나에게 설명할 것이 있다.

   me   has   explain   he   to   something   to

   » _____

4 그녀는 자라서 그 나라에서 최초의 조종사가 되었다.

   she   the first   to   up   become   grew   in   pilot   that country

   » _____

5 그 시험을 통과하기 위해 나는 정말 열심히 공부했다.

   she   pass   really   studied   the test,   to   hard

   » _____

6 그 이유를 설명하는 몇 가지 이야기들이 있다.

   stories   explain   are   several   the reason   there   to

   » _____

7 화성은 우리 태양계에서 태양으로부터 4번째로 떨어져 있는 행성이다.

   the sun   is   our   the fourth   solar system   planet   from   Mars   in

   » _____

8 너에게 신나는 일이 있었니? did   happen   you   exciting   to   anything

   » _____

F 다음 주어진 표현을 활용하여 문장을 완성하시오.

1 나는 돌봐야 할 남동생이 한 명 있다. younger   take

   » I have _____.

2 우리는 여러분들이 강가에서 멋진 주말을 경험하도록 도와드립니다. experience   wonderful

   » We help you _____ at the riverside.

3 남부는 자신들의 사업들을 운영하기 위해 노예가 필요했다. slaves   run

   » The South needed _____.

4 사고에서 그 아이들을 구하다니 그녀는 용감한 게 틀림없다. to   save

   » She must be brave _____ from the accident.

5 다행히도, 그 남자는 그 심각한 교통사고로부터 살아남았다. survive   traffic accident

   » Fortunately, the man _____.

6 나는 그에게 한국에서 만들어진 어떤 것을 주었다. something   make

   » I gave him _____.

7 그는 마실 물을 한 잔 요청했다. glass   drink

   » He asked for _____.

8 많은 사람이 건물 앞에서 모일 것이다. gather   front

   » Many people will _____.

Unit 8
접속사와 분사구문

A 이 단원에서 배운 내용을 정리하시오.

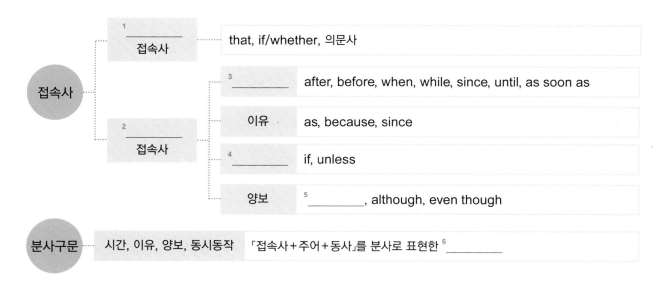

접속사
- 1 _____ 접속사 → that, if/whether, 의문사
- 2 _____ 접속사
  - 3 _____ after, before, when, while, since, until, as soon as
  - 이유 as, because, since
  - 4 _____ if, unless
  - 양보 5 _____, although, even though

분사구문 시간, 이유, 양보, 동시동작 「접속사＋주어＋동사」를 분사로 표현한 6 _____

B 다음 영어는 우리말로, 우리말은 영어로 쓰시오.

1 advantage		11 비난하다	
2 miss		12 해결책	
3 absent		13 알려 주다	
4 technique		14 해로운	
5 economics		15 한정된	
6 erupt		16 몇몇의	
7 leave		17 회복하다	
8 set		18 소비자, 고객	
9 gym		19 들다, 올리다	
10 management		20 효율적으로	

C 보기에서 알맞은 단어를 골라 빈칸에 쓰시오.

> 보기   chase   waved   addicted   award   lying

1 She was _____ to games, and nothing was more important to her.
   (그녀는 게임에 중독되었고 그녀에게 더 중요한 것은 아무것도 없었다.)

2 Winning the _____, the novel is not interesting to me.
   (비록 상을 받은 것일지라도 그 소설은 내게 별로 재미가 없다.)

3 Seeing him, the dog started to _____ him.
   (그를 보았을 때 그 개는 그를 쫓기 시작했다.)

4 Having a bad cold, she spent all day _____ in bed.
   (심한 감기에 걸려서 그녀는 온종일을 침대에 누워서 보냈다.)

5 Walking along the river, I _____ my hand to him.
   (강을 따라 걸으면서 나는 그에게 손을 흔들었다.)

D 네모 안에서 어법에 맞는 표현을 고르고, 문장을 해석하시오.

1 Why / As he was absent today has been a mystery.

   » _____

2 She will fail the exam what / unless she does her best.

   » _____

3 Left / Leaving her homework at home, she went back to get it.

   » _____

4 The police officer came up to him, asked / asking his name.

   » _____

5 They needed more time until / after they could run their business again.

   » _____

Unit 8 접속사와 분사구문

E 우리말에 맞게 주어진 표현을 바르게 배열하시오.

1 그 일기예보는 내일 비가 올지 안 올지를 확신하지 못하고 있다.

forecast is not tomorrow sure it will not rain or whether the weather

» _____

2 그녀는 무척 피곤했기 때문에 오늘 일찍 일어날 수 없었다.

as could not was early very she tired, today get up she

» _____

3 여러분은 '브레인스토밍'이 무엇인지 아는가? what you is "brainstorming" do know

» _____

4 영화표를 늦게 샀기 때문에 그들은 앞쪽에 앉아야만 했다.

tickets in buying they late, to the movie the front sit had

» _____

5 체육관에서 운동을 하면서 그녀는 음악을 듣는다.

the listens music out gym, working she to in

» _____

6 그는 시간 앱을 이용하여 각각의 일에 대한 시간의 양을 설정했다.

an amount time he for the time of set each job, app using

» _____

7 손을 들면서 그 소년은 일어섰다.

the boy raising up his stood hand,

» _____

8 비록 그가 버스를 놓쳤지만, 그는 정시에 도착했다.

he although arrived time missed bus, he on the

» _____

F **다음 주어진 표현을 활용하여 문장을 완성하시오.**

1 나는 점심으로 무엇을 주문해야 할지 정하지 못했다. should   order   lunch

   » I have not decided _____ .

2 그녀는 비록 훌륭한 의사였지만 모든 생명을 구할 수는 없었다. even   great

   » _____ , she could not save all the lives.

3 대부분의 모래는 하얀색인 반면, 몇몇 해변에는 검은 모래가 있다. most   sand

   » _____ , there is black sand on some beaches.

4 그들은 내가 중국어를 공부했었는지 물었다. studied   Chinese

   » They asked me _____ .

5 충분한 돈을 가지고 있다고 말하면서 그녀는 구입품들의 값을 지불했다. saying   enough

   » She paid for her purchases, _____ .

6 부상에서 회복한 후에 그는 마라톤에서 뛸 수 있었다. recovering   injury

   » _____ , he could run in the marathon.

7 피곤해서 그는 학교에서 계속 잠이 들었다. being

   » _____ , he kept falling asleep at school.

8 요즘에는 많은 사람들이 음악을 들으면서 거리를 걷는다. listening

   » These days many people walk down the street, _____ .

Unit 9
관계사

A 이 단원에서 배운 내용을 정리하시오.

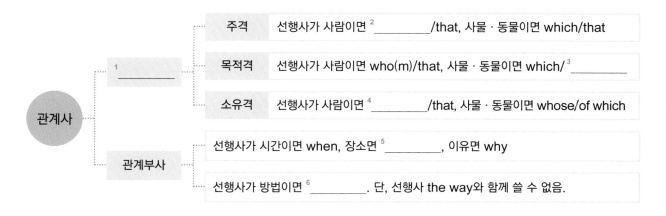

	주격	선행사가 사람이면 ² _____/that, 사물 · 동물이면 which/that
¹_____	목적격	선행사가 사람이면 who(m)/that, 사물 · 동물이면 which/ ³_____
	소유격	선행사가 사람이면 ⁴_____/that, 사물 · 동물이면 whose/of which

관계사

관계부사
- 선행사가 시간이면 when, 장소면 ⁵_____, 이유면 why
- 선행사가 방법이면 ⁶_____. 단, 선행사 the way와 함께 쓸 수 없음.

B 다음 영어는 우리말로, 우리말은 영어로 쓰시오.

1	recommend	_____	11	살아남다 _____
2	plentiful	_____	12	증상 _____
3	shine	_____	13	빌려주다 _____
4	poisonous	_____	14	치료하다 _____
5	encourage	_____	15	기온, 온도 _____
6	structure	_____	16	암기하다 _____
7	spill	_____	17	식, 의식 _____
8	colorless	_____	18	재능이 있는 _____
9	period	_____	19	불꽃놀이 _____
10	instrument	_____	20	설립하다 _____

C 보기에서 알맞은 단어를 골라 빈칸에 쓰시오.

> **보기**   fur   spilled   treated   promoted   magazine

1 Alex _____ the juice that he was drinking.
   (Alex는 마시고 있던 주스를 흘렸다.)

2 I'm looking for a cat whose _____ is brown.
   (나는 털이 갈색인 고양이 한 마리를 찾고 있다.)

3 Dr. Wang who _____ her disease is from China.
   (그녀의 병을 치료했던 Wang 박사는 중국 출신이다.)

4 She is reading a _____ which is about movies.
   (그녀는 영화에 관한 잡지를 읽고 있다.)

5 I remember the day when my father got _____.
   (나는 나의 아버지가 승진하셨던 날을 기억한다.)

D 네모 안에서 어법에 맞는 표현을 고르고, 문장을 해석하시오.

1 Look at the house whose / which door is broken.

   » _____

2 The book who / which David gave her was written by Mr. Parker.

   » _____

3 He is looking for a child who / whom is good at math.

   » _____

4 I want to know the time when / where the concert ends.

   » _____

5 He is a famous artist which / that Lucy likes most.

   » _____

Unit 9 관계사

E 우리말에 맞게 주어진 표현을 바르게 배열하시오.

1 나는 Steve가 가진 것과 똑같은 셔츠가 있다.

have Steve the that shirt I same has

» _____

2 레몬은 비타민 C가 많은 과일이다.

a fruit vitamin C is which a lot of a lemon has

» _____

3 나는 나의 할아버지께서 집에 돌아오시는 시간을 안다.

my grandpa know when home the time comes back I

» _____

4 우리는 지붕이 파란색인 집을 보았다.

whose saw roof is the house blue we

» _____

5 라 토마티나(La Tomatina)는 스페인에서 열리는 음식 싸움 축제이다.

is in a food fight festival is La Tomatina held Spain which

» _____

6 Sally는 현장 학습으로 간 놀이공원에서 길을 잃었다.

got lost at where a field trip Sally she for the amusement park went

» _____

7 그들이 구입하기로 결정한 그 새집에는 두 개의 욕실이 있다.

they buy bathrooms decided has two which the new house to

» _____

8 그녀는 그녀의 왼쪽 다리의 기능을 잃게 만드는 증상의 병에 걸렸다.

a disease she her left leg caused whose had symptoms her of to lose the use

» _____

F 다음 주어진 표현을 활용하여 문장을 완성하시오.

1 나는 털이 흰색인 새끼 고양이를 한 마리 키우고 있다. have   a kitten

   ≫ _____ fur is white.

2 나는 Brian이 내게 말하는 방식이 마음에 들지 않는다. how   talk

   ≫ I don't like _____ .

3 음악을 좋아하는 누구나 환영합니다. anyone   who

   ≫ _____ will be welcomed.

4 네가 추천했던 그 소설은 유명해졌다. which   recommend

   ≫ _____ has become famous.

5 너는 그가 나를 싫어하는 이유를 아니? the reason   hate

   ≫ Do you know _____ ?

6 그들은 어머니가 과학자인 소녀를 만났다. the girl   mother

   ≫ They met _____ .

7 우리는 살아남은 많은 사람들과 동물들을 치료했다. that   survive

   ≫ We treated a lot of _____ .

8 많은 해파리가 떠 있는 해변에 가는 것은 위험하다. it   to go   beaches

   ≫ _____ many jellyfish are floating.

Unit 10
가정법과 최상급 표현

A 이 단원에서 배운 내용을 정리하시오.

가정법	가정법 과거	「If+주어+동사의 과거형 ~, 주어+¹_____ +동사원형 ....」 ²_____ 사실과 반대되는 일을 가정. '만약 ~하다면, …할 텐데.'
	가정법 ³_____	「If+주어+had p.p. ~, 주어+조동사의 과거형+⁴_____ ....」 과거 사실과 반대되는 일을 가정. '만약 ~했다면, …했을 텐데.'

최상급 표현	the+최상급(+명사)+in/of+명사(구)	…에서 가장 ~한 (명사)
	one of the+최상급+⁵_____	가장 ~한 … 중 하나
	the+최상급+명사(+that)+주어+have/has ever p.p.	지금까지 …한 것 중 ⁶_____ (명사)
	비교급+than any other+⁷_____	다른 어떤 …보다도 더 ~한
	No (other) A ~+비교급+⁸_____ B	(다른) 어떤 A도 B보다 ~하지 않다
	No (other) A ~+as+원급+as B	(다른) 어떤 A도 B만큼 ~하지 않다

B 다음 영어는 우리말로, 우리말은 영어로 쓰시오.

1 athlete _____

2 support _____

3 crater _____

4 astronomer _____

5 join _____

6 aurora _____

7 challenging _____

8 telescope _____

9 violently _____

10 observer _____

11 포함하다 _____

12 혜성 _____

13 갈라지다 _____

14 외국의 _____

15 정점, 최고조 _____

16 필수적인, 필요한 _____

17 좌절한 _____

18 방출하다 _____

19 지진 _____

20 전문적인 _____

C 보기에서 알맞은 단어를 골라 빈칸에 쓰시오.

> 보기   pass   diligent   astronomy   athletes   village

1 She studied _____ with the support of her father.
(그녀는 아버지의 지원을 받아 천문학을 공부했다.)

2 If she practiced harder, she could _____ the test.
(만약 그녀가 연습을 더 열심히 한다면 그녀는 그 시험을 통과할 수 있을 텐데.)

3 She was one of the fastest _____ in the world.
(그녀는 세계에서 가장 빠른 운동선수 중 한 명이었다.)

4 Where is the most famous restaurant in this _____?
(이 마을에서 가장 유명한 식당은 어디인가요?)

5 He is more _____ than any other student in the class.
(그는 그 반에서 다른 어떤 학생보다도 더 부지런하다.)

D 네모 안에서 어법에 맞는 표현을 고르고, 문장을 해석하시오.

1 I could understand the document if I am / were good at Spanish.
» _____

2 If he got / gotten up earlier, he woudn't be late for the meeting.
» _____

3 If I had not been sick, I could have help / helped Mom.
» _____

4 He was the smart / smartest boy I have ever met.
» _____

5 The whale is big / bigger than any other animal in the sea.
» _____

E 우리말에 맞게 주어진 표현을 바르게 배열하시오.

1 다른 어떤 것도 가족보다 더 중요하지 않다. more   nothing   important   than   is   family

　》 _____

2 그는 학급의 다른 어떤 소년보다도 더 키가 크다.

　in   boy   the   he   any   taller   other   than   class   is

　》 _____

3 만약 내가 그녀의 친구라면 나는 그녀의 파티에 갈 텐데.

　her   to   were   if   would   friend,   go   I   her   party   I

　》 _____

4 그것은 내가 지금까지 읽어 본 것 중 가장 흥미로운 책이다.

　the   I   is   that   interesting   it   ever   book   read   most   have

　》 _____

5 만약 내가 공부를 더 열심히 했다면 나는 시험에서 전 과목 A를 받았을 텐데.

　had   would   if   gotten   I   have   I   studied   the exams   straight A's   harder,   on

　》 _____

6 지진은 가장 끔찍한 자연재해 중 하나이다.

　disasters   the   of   earthquakes   terrible   natural   are   most   one

　》 _____

7 만약 우리가 더 일찍 만났다면 우리는 가장 친한 친구가 되었을 텐데.

　had   become   if   we   earlier,   would   we   friends   best   met   have

　》 _____

8 만약 내가 전에 프랑스어를 배웠다면 나는 여행을 더 즐길 수 있었을 텐데.

　had   the trip   learned   have   more   I   could   if   French   I   before,   enjoyed

　》 _____

F 다음 주어진 표현을 활용하여 문장을 완성하시오.

1 나의 집보다 더 편안한 곳은 없다. no   more   comfortable

   » There is _____ my home.

2 만약 그가 나의 영어 선생님이라면 나는 정말 행복할 텐데. were   teacher

   » _____, I would be really happy.

3 그녀는 세상에서 가장 재능 있는 피아니스트 중 한 명이다. one   talented   pianists

   » She is _____ in the world.

4 이 가게에서 다른 어떤 선물도 이 반지만큼 비싸지 않다. no   as   expensive

   » _____ this ring in the shop.

5 만약 내가 그에게 전화를 했다면 내 인생은 바뀌었을지도 모를 텐데. life   changed

   » _____ if I had called him.

6 만약 당신이 휴가를 갈 수 있다면 어디로 갈 것인가? able   go   a vacation

   » _____, where would you go?

7 Mitchell이 다른 어떤 관찰자보다 더 빨리 그 혜성을 발견했다. than   observer

   » Mitchell discovered the comet _____.

8 만약 내게 사진기가 있었다면 나는 할아버지의 사진을 찍어 드렸을 텐데. a camera

   » _____, I would have taken pictures of Grandpa.

memo

바로
읽는
구문
독해

바로
구문 읽는
독해

구문

바로
읽는
독해

LEVEL

2

ANSWERS

CHUNJAE
EDUCATION, INC.

바로
읽는
구문 읽는
독해

Unit 1 주어 자리에 오는 것

01 바로 예문

1 Mary called him several times today.
Mary는 오늘 그에게 여러 번 전화했다.
2 This pretty doll belongs to my little sister.
이 예쁜 인형은 내 여동생의 것이다.
3 She is one of my closest friends.
그녀는 내 가장 친한 친구 중 한 명이다.
4 Something is missing in the newsletter.
그 소식지에 무언가가 빠져 있다.

바로 훈련

5 Whales do not lay eggs like other fish.
고래들은 다른 물고기들처럼 알을 낳지 않는다.
6 Ms. Brown is a human rights lawyer.
Brown 씨는 인권 변호사이다.
7 Nothing will change in the school program.
학교 프로그램에서 아무것도 바뀌지 않을 것이다.
8 Jane and I don't have much time to talk now.
Jane과 나는 지금 얘기할 시간이 별로 없다.
9 Anybody can become a member of our club.
누구나 우리 동아리의 회원이 될 수 있다.

02 바로 예문

1 Driving too fast causes many accidents.
지나친 과속 운전은 많은 사고를 일으킨다.
2 Saving energy is good for the environment.
에너지를 절약하는 것은 환경에 좋다.
3 To smoke is not allowed in public places.
공공장소에서 흡연하는 것은 허용되지 않는다.
4 To care for his children is one of his jobs.
자녀들을 돌보는 것은 그의 일 중 하나이다.

바로 훈련

5 To read two books a week is not easy.
일주일에 책을 두 권 읽는 것은 쉽지 않다.
6 Traveling all around the world is one of his dreams.
전 세계를 여행하는 것은 그의 꿈들 중 하나이다.
7 To follow rules is everyone's duty in society.
규칙을 지키는 것은 사회에서 모든 사람의 의무이다.
8 Watering the flowers has become her routine.
그 꽃들에 물을 주는 것은 그녀의 일과가 되었다.
9 Moving to another city was our only option.
다른 도시로 이사하는 것이 우리의 유일한 선택 사항이었다.

1

Today / ❶ **many people** / are starting / to plant vegetables / in their gardens. // ❷ **This** / is / because they / are
오늘날 많은 사람들이 그들의 정원에 채소를 심기 시작하고 있다.   이것은 그들이 건강에 좋고 안전한

getting / interested in / healthy and safe foods. // However, / planting vegetables / is not / as simple as / many
음식에 관심을 가지기 시작했기 때문이다.   하지만 채소를 심는 것은 많은 사람들이 생각하는 것만큼 단순하지 않다.

people / think. // When you / plant / vegetables, / these three things / are / always important: / soil, sunlight and
채소를 심을 때에는 토양, 햇빛, 물 이 세 가지가 항상 중요하다.

water. // Whether you / have / good soil / is / the first thing / to check. // Good soil / is / helpful / to plants / in many
당신이 좋은 토양을 가지고 있는지가 확인해야 할 첫 번째 사항이다.   좋은 토양은 여러모로 식물에 이롭다.

ways. // Also, / water / should easily flow / into the soil. // Second, / most vegetables / need / enough sunlight. //
또한, 물이 토양 속으로 잘 흘러들어야 한다.   두 번째로 대부분의 식물은 충분한 햇빛이 필요하다.

Without sunlight, / big vegetables / cannot grow / on plants. // Watering your plants / is / also important. // ❸ **You** /
햇빛이 없으면 식물들에 큰 열매가 열리지 못한다.   당신의 식물에 물을 주는 것 역시 중요하다.   당신은

should water / your vegetables / regularly.
당신의 채소에 정기적으로 물을 주어야 한다.

정답   ②
문제 해설   동명사구 주어(planting vegetables)는 3인칭 단수 취급하므로, 복수 동사 are를 단수 동사 is로 고쳐 써야 한다.
구문 해설   ❶ many people이 문장의 주어이고, 형용사 many가 명사 people을 꾸며 주고 있다.
         ❷ 지시대명사 This가 주어로 쓰였다.
         ❸ 주격 인칭대명사 You가 주어로 쓰였다.

2

Imagine / that you / are going / camping / in the summer! // What places / can you think of? // Probably / most
여러분이 여름에 캠핑을 간다고 상상해 보라!　　　　　여러분은 어떤 장소들이 떠오르는가?　 아마도 대부분의

teenagers / like / to go / to the beach / or the mountains. // Both places / are / perfect / for camping, / but ❶ they /
십 대들은 해변이나 산에 가는 것을 좋아할 것이다.　　　　두 장소 모두 캠핑을 하기에 완벽하지만, 그것들은 서로 다른

have / different attractions. // First of all, / you / can see / many rare animals / in the mountains. // There / are /
매력을 가지고 있다.　　　무엇보다도, 여러분은 산에서 많은 희귀 동물들을 볼 수 있다.　　　　　다람쥐, 뱀

squirrels, snakes, and beautiful mountain birds. // Also, / you / can go / hiking / or ride / a mountain bike. //
그리고 아름다운 산새들이 있다.　　　　　또, 여러분은 하이킹을 가거나 산악자전거를 탈 수도 있다.

However, / ❷ **going to the beach** / gives / you / lots of fun, / too. // You / can lie down / in the sunlight / and relax. //
하지만, 해변으로 가는 것도 여러분에게 많은 즐거움을 준다.　　　여러분은 햇빛이 비추는 곳에 누워서 휴식을 취할 수 있다.

And you / can try / windsurfing and snorkeling. // By the way, / the most exciting thing / about camping / is / the
그리고 여러분은 윈드서핑과 스노클링을 해 볼 수도 있다.　 그런데 캠핑에 있어서 가장 신나는 것은 캠프파이어이다.

campfire. // But / don't worry. // You / can enjoy / campfires / in both places.
　　　　　하지만 걱정하지 마라.　 여러분은 두 곳 모두에서 캠프파이어를 즐길 수 있다.

정답　　　④

문제 해설　이 글은 캠프를 하기 위한 장소로서 산과 바다의 서로 다른 매력에 관해 이야기하고 있다. 글의 앞부분에서는 산이 좋은 이유를
　　　　　설명하는데, You can lie down ~부터는 해변이 좋은 이유를 설명하고 있다. 주어진 문장은 해변이 좋은 이유를 설명하는 도입
　　　　　에 해당하므로, ④에 들어가는 것이 알맞다.

구문 해설　❶ 주격 인칭대명사 they가 주어로 쓰였다.
　　　　　❷ 동명사구 going to the beach가 주어로 쓰였다.

STEP 1 >>> 구문 Start

pp. 18~19

03 바로 예문

1　That we ate pizza last night is a secret.
　우리가 어젯밤에 피자를 먹은 것은 비밀이다.

2　What is most important to me is my family.
　내게 가장 중요한 것은 우리 가족이다.

3　That he drew this picture was surprising.
　그가 이 그림을 그렸다는 것은 놀라웠다.

4　What matters to him is to get healthier.
　그에게 중요한 것은 더 건강해지는 것이다.

바로 훈련

5　What I bought yesterday / was a wallet.
　내가 어제 산 것은 지갑이었다.

6　That the team won the game / pleased many fans.
　그 팀이 경기에 이겼다는 것은 많은 팬들을 기쁘게 했다.

7　What you should do / is to reply to all the letters.
　당신이 해야 할 일은 모든 편지에 답장을 보내는 것이다.

8　That Judy cheated on the exam / is so disappointing.
　Judy가 시험에서 부정행위를 했다는 것은 무척 실망스럽다.

9　What we ask / is different from what they think.
　우리가 요구하는 것은 그들이 생각하는 것과 다르다.

04 바로 예문

1　It is hard to study math alone.
　혼자서 수학을 공부하는 것은 힘들다.

2　It was true that he deceived us.
　그가 우리를 속였다는 것은 사실이었다.

3　It is surprising that Jack and Mary are twins.
　Jack과 Mary가 쌍둥이라는 것은 놀랍다.

4　It is necessary for you to check the schedule.
　네가 일정을 확인하는 것이 필요하다.

바로 훈련

5　It is very kind of you to tell me the information.
　그 정보를 저에게 말씀해 주시다니 당신은 정말 친절하군요.

6　It is a pity that Ms. White could not join our trip.
　White 씨가 우리의 여행에 함께하지 못한 것은 유감이다.

7　It is very important to trust each other.
　서로를 믿는 것은 아주 중요하다.

8　It pleased his family that he got promoted.
　그가 승진한 것은 그의 가족을 기쁘게 했다.

9　It does not help that we have two brand-new laptops.
　우리가 두 대의 최신형 노트북 컴퓨터를 가지고 있다는 것은 도
　움이 되지 않는다.

3

To earn pocket money / was not / easy / for Tommy. // His parents / gave / him / one dollar / each time / he / showed /
Tommy에게 용돈을 버는 것은 쉽지 않았다.   그의 부모님은 그가 착한 행동을 보여 줄 때마다 그에게 1달러씩

good behavior. // For example, / if Tommy / mowed / the lawn / in the backyard, / he / would get / one dollar / for his work. //
주셨다.   예를 들어, Tommy가 뒷마당의 잔디를 깎으면 그는 자신의 일에 대해서 1달러를 받았다.

So far, / he / has saved / about one hundred dollars. // With that money, / he / decided / to start his own business. //
지금까지 그는 대략 100달러를 모았다.   그 돈으로 그는 자신만의 사업을 시작하기로 결심했다.

❶ **What Tommy thought of** / was / to sell orange juice / at the flea market / on weekends. // He / bought / some
   Tommy가 생각한 것은 주말마다 벼룩시장에서 오렌지 주스를 파는 것이었다.   그는 슈퍼마켓에서

oranges, plastic cups, and straws / at the supermarket. // Also, / he / borrowed / a juicer / from his mom. // Now /
오렌지 몇 개와 플라스틱 컵, 그리고 빨대를 샀다.   또 그는 엄마에게서 주스기를 빌렸다.   이제

he / can't wait / to open his own shop / tomorrow!
그는 내일 자신의 가게를 여는 것을 무척 기대하고 있다!

정답   ①
문제 해설   Tommy의 심정은 글의 마지막 부분에 잘 나타나 있다. 'Now he can't wait to open his own shop tomorrow!'에서 Tommy가
         내일 자신의 오렌지 주스 가게를 여는 것을 무척 기대하고 있다는 것을 알 수 있다.
구문 해설   ❶「What+주어+동사 ~」형태의 명사절 What Tommy thought of가 주어로 쓰였다.

4

Kangaroos / are / strange animals / which only live / in Australia. // They / have / big, powerful legs and a tail. //
캥거루는 호주에만 사는 신기한 동물이다.   그들은 크고 힘센 다리와 꼬리를 가지고 있다.

They / can hop / and move / a long distance / with their strong legs. // One interesting thing / about kangaroos /
그들은 튼튼한 다리로 깡충 뛸 수 있으며 먼 거리를 이동할 수 있다.   캥거루에 관해 한 가지 흥미로운 것은 그들의

is / their pouch. // ❶ It / is / very important / for them / **to have this pouch** / because they / raise / their babies / in
주머니이다.   그들이 이 주머니를 가지는 것은 매우 중요한데, 그들의 새끼들을 그 안에서 기르기 때문이다.

it. // Baby kangaroos / eat and sleep / in their mothers' pouches / until they / grow up. // Another interesting thing /
새끼 캥거루들은 다 자랄 때까지 어미의 주머니 안에서 먹고 잔다.   캥거루에 관해 또 다른

about kangaroos / is / their fighting. // Some male kangaroos / often fight / to mate. // Their fighting / is / very similar
흥미로운 것은 그들의 싸움이다.   일부 수컷 캥거루들은 종종 짝짓기하기 위해 싸운다.   그들의 싸움은 권투와 아주 비슷하다.

to boxing. // Two kangaroos / that are fighting each other / look like / two boxers. // But one difference / is / that
to boxing.   서로 싸우고 있는 두 마리의 캥거루는 두 명의 권투 선수처럼 보인다.   그러나 한 가지 차이점은

kangaroos / can use / their legs / while they / are fighting.
캥거루들은 싸우면서 그들의 다리를 사용할 수 있다는 것이다.

정답   ④, ⑤
문제 해설   'One interesting thing about kangaroos is their pouch.'와 'Another interesting thing about kangaroos is their fighting.'
         에서 각각 캥거루의 주머니와 수컷들의 싸움을 캥거루의 두 가지 흥미로운 특성으로 설명하고 있음을 알 수 있다.
구문 해설   ❶ 문장의 맨 앞에 있는 It은 가주어이고, 진주어는 to부정사구(to have this pouch)이다.

구문+어법

1 Something	2 You
3 Watering	4 is
5 That	6 we
7 It	8 to eat

구문 분석 노트

1 ① 주어 ② 명사구 ③ 제일 좋아하는
2 ① 동사 ② to부정사 ③ 운동하는 것은
3 ① 주어 ② 동사 ③ 쓸모없는
4 ① 진주어 ② to부정사구 ③ 타는 것은

구문+어법 해석/해설

1 그 기사에 무언가 재미있는 것이 빠져 있었다.
문장의 주어 자리이므로 부정대명사 Something이 알맞다.
2 너는 우리 동아리의 회원이 될 수 있다.
인칭대명사가 주어 자리에 올 때 주격을 쓴다.
3 식물들에게 물을 주는 것은 나의 임무이다.
문장의 주어 자리이므로 「동사원형+-ing」 형태의 동명사 Watering이 알맞다.
4 물병을 재활용하는 것은 환경에 좋다.
to부정사구 주어는 단수 취급하므로 단수 동사 was가 알맞다.
5 James가 오디션을 통과했다는 것은 놀라웠다.
「That+주어+동사 ~」 형태의 명사절 주어가 되도록 That이 와야 한다.

6 우리가 차에서 발견한 것은 결국 아무것도 아니었다.
「What+주어+동사 ~」 형태의 명사절 주어가 되도록 주격 인칭대명사 we가 와야 한다.
7 그녀가 몇 가지 실수를 했다는 것은 사실이었다.
문장 뒤에 진주어 that절이 있으므로, 문장 앞에는 that절을 대신할 가주어 It이 필요하다.
8 매일 과일을 먹는 것은 우리 건강에 좋다.
가주어 It이 쓰였으므로, 진주어로 to부정사가 와야 한다.

WORKBOOK

A 1. 인칭대명사 2. 동명사 3. 동사원형
4. 명사절 5. What절 6. that절

B 1. 허용하다 2. 의무, 임무
3. 정기적으로, 규칙적으로 4. 토양
5. 다람쥐 6. 행동 7. (알을) 낳다
8. 매력, 매력적인 요소 9. 거리
10. 일상적인 일, 일과 11. relax
12. garage 13. reply 14. vegetable
15. patient 16. fight 17. promote
18. hop 19. whale 20. be similar to

C 1. belongs 2. duty 3. matters
4. uncertain 5. Saving

D 1. I, Tony와 나는 함께 놀 시간이 별로 없다.
2. Singing, 공공장소에서 큰소리로 노래를 부르는 것은 허용되지 않는다.
3. you, 네가 해야 하는 것은 그 질문들에 답하는 것이다.
4. It, 혼자서 이 문제를 푸는 것은 힘들다.
5. is, 교칙을 따르는 것은 아주 중요하다.

E 1. Watering the flowers has become his routine.
2. What is most important to her is her family.
3. To exercise is important to patients.
4. It is very important for kangaroos to have this pouch.
5. What Tommy thought of was to sell orange juice at the flea market.
6. It pleased her family that she passed the police exam.
7. Anybody can become a member of our dance club.
8. He is one of my closest friends.

F 1. Whales do not lay eggs
2. Something is missing
3. Driving too fast causes
4. That we ate pizza for lunch
5. that her cousin deceived all of us
6. Going to the beach
7. Planting vegetables is not as simple
8. It is very kind of you to tell

Unit 2 목적어 자리에 오는 것

01 바로 예문

1 Ted gave us bookmarks yesterday.
Ted는 어제 우리에게 책갈피를 주었다.

2 Ms. Preston helped me in the U.S.
Preston 부인은 미국에서 나를 도와주었다.

3 In the cold winter, I met Willy in London.
추운 겨울에 나는 런던에서 Willy를 만났다.

4 I bought a piece of clothing for my grandmother.
나는 나의 할머니를 위해 한 벌의 옷을 샀다.

바로 훈련

5 Mother Teresa helped them study at school.
테레사 수녀는 학교에서 공부할 수 있도록 그들을 도와주었다.

6 Why don't we go out and have some noodles?
우리 나가서 국수를 먹지 않을래?

7 I prepared something special for all of you here.
저는 여기에 계신 여러분 모두를 위해 특별한 것을 준비했습니다.

8 Would you answer the e-mail as soon as possible?
가능한 한 빨리 그 이메일에 답장해 주시겠어요?

9 Has Robin experienced anything strange in the Amazon?
Robin은 아마존에서 이상한 어떤 것을 경험했니?

02 바로 예문

1 I decided to leave for California.
나는 캘리포니아로 떠나기로 결심했다.

2 Dad quit smoking ten years ago.
아빠는 10년 전에 담배를 피우는 것을 그만두셨다.

3 They refused to refund the money.
그들은 환불하는 것을 거절했다.

4 She could not avoid meeting him.
그녀는 그를 만나는 것을 피할 수 없었다.

바로 훈련

5 I didn't expect to get to the airport so late.
나는 공항에 이렇게 늦게 도착할 것을 예상하지 못했다.

6 Ann began to keep a diary from yesterday.
Ann은 어제부터 일기를 쓰기 시작했다.

7 We are planning to have an outdoor wedding.
우리는 야외 결혼식을 하려고 계획하고 있다.

8 He kept making movies and became a famous director.
그는 계속해서 영화를 만들었고, 유명한 감독이 되었다.

9 Would you mind adding some dressing on this salad?
이 샐러드에 드레싱을 좀 더해도 괜찮을까요?

1

The first computer / was / a lot different / from what we use today. // Today's computer / is / small and compact, /
최초의 컴퓨터는 오늘날 우리가 사용하는 것과 매우 달랐다.   오늘날의 컴퓨터는 작고 간편해서 우리는 어디를
so we / can carry / it / everywhere we go. // However, / the first computer / was / huge and heavy, / so it / took up /
가든 그것을 가지고 다닐 수 있다.   하지만 최초의 컴퓨터는 거대하고 무거워서 그것은 많은 공간을 차지했다.
a lot of room. // In addition, / people / couldn't even turn on / the lights, / because the computer / used up / most
게다가 컴퓨터가 전력 대부분을 소모했기 때문에 사람들은 심지어 불을 켜지도 못했다.
of the electricity. // It / easily broke / and did not have / ❶ good memory. // However, / people / used / ❷ this huge
그것은 쉽게 고장 났고 기억 장치가 좋지도 않았다.   하지만 사람들은 이 거대한 기계를 다양한
machine / for various purposes. // They / used / ❸ it / mainly for wars. // It / was also used / to study spaceships /
목적으로 사용했다.   그들은 그것을 주로 전쟁에 사용했다.   그것은 또한 우주선을 연구하고 일기 예보를
and to forecast weather. // It / was used / until 1955, / and today / we / can see / it / in a museum.
하는 데 사용되었다.   그것은 1955년까지 사용되었고, 오늘날 우리는 그것을 박물관에서 볼 수 있다.

정답   ①
문제 해설 ①의 it은 '오늘날의 컴퓨터(today's computer)'를 가리키고, 나머지는 모두 '최초의 컴퓨터(the first computer)'를 가리킨다.
구문 해설 ❶❷ good memory와 this huge machine은 각 문장의 목적어로 쓰인 명사구이다.
         ❸ it은 목적어로 쓰인 대명사로, 앞 문장에 나온 this huge machine을 가리킨다.

2

Dear Ms. Baker, /
Baker 부인께

Hello. // I / am / Ben, / the boy / living next door to you. // Yesterday / my friends and I / were playing / baseball /
안녕하세요. 저는 아주머니 옆집에 사는 남자아이인 Ben이라고 합니다. 어제 제 친구들과 저는 아주머니의 집 근처에서 야구를
near your house. // After / I / hit the ball, / it / accidentally went through / one of your windows. // We / knew / that the
하고 있었어요.   제가 공을 친 후에, 그것은 뜻하지 않게 아주머니의 집 창문들 중 하나를 뚫고 나갔어요. 우리는 그 창문이
window / was broken, / but we / couldn't tell / you / the truth. // Today / I / told / my parents / the truth, / and they /
깨졌다는 걸 알았지만, 아주머니께 그 사실을 말씀드릴 수 없었어요.   오늘 저는 부모님께 사실대로 말씀드렸고, 부모님께서는
said / that I / should apologize / and do / something good / for you. // I / am / really sorry / about my mistake / and
제가 사과를 하고 아주머니를 위해 무언가 좋은 일을 해야 한다고 말씀하셨어요.   실수를 저질러 정말 죄송하고요, 저는 제가 아주머니의
I / think / I / can help / you / with your house chores. // Or / I / can save / my spending money / and pay / you / for
집안일을 도울 수 있다고 생각해요.   아니면 제 용돈을 모아서 깨진 창문 값을 아주머니께 지불할 수도
the broken window. // It / will take / some time, / but I / want / ❶ to do that.
있고요.   그건 시간이 좀 걸리겠지만, 전 그렇게 하기를 원해요.
Ben
Ben으로부터

정답   ②
문제 해설   글의 앞부분에서 Ben이 Baker 부인의 집 창문을 깨뜨렸음을 알 수 있고, 중간 부분의 'I am really sorry about ~'에서 ② '창문
          깬 것을 사과하려고' 편지를 썼음을 알 수 있다.
구문 해설   ❶ to do that은 동사 want의 목적어로 쓰인 to부정사구이며, that은 앞 문장의 내용을 가리킨다.

STEP 1 ≫ 구문 Start
pp. 28~29

03 바로 예문

1 This suggests that she was here.
  이것은 그녀가 이곳에 있었다는 것을 암시한다.
2 He couldn't decide what he had to do first.
  그는 무엇을 먼저 해야 할지를 결정하지 못했다.
3 I cannot understand how he escaped.
  나는 그가 어떻게 탈출했는지를 이해할 수 없다.
4 Do you know when the revolution took place?
  너는 그 혁명이 언제 일어났는지를 아니?

바로 훈련

5 They felt that the company was hiding something.
  그들은 그 회사가 무언가를 숨기고 있다는 것을 느꼈다.
6 I wonder where he will go on summer vacation.
  나는 그가 여름 방학 때 어디에 갈 것인지 궁금하다.
7 I don't know who the President of the U.S. is.
  나는 미국의 대통령이 누구인지 모른다.
8 We couldn't remember when the photographer took a
  picture of us.
  우리는 언제 그 사진작가가 우리 사진을 찍었는지를 기억하지
  못했다.
9 I can't believe that Ron used magic and created a
  pigeon.
  나는 Ron이 마법을 써서 비둘기를 만들어 냈다는 것을 믿을 수
  가 없다.

04 바로 예문

1 I believe it possible to find aliens.
  나는 외계인을 찾는 것이 가능하다고 믿는다.
2 She thinks it convenient to live in cities.
  그녀는 도시에 사는 것이 편리하다고 생각한다.
3 He found it exciting to travel in New York.
  그는 뉴욕을 여행하는 것이 재미있음을 알게 되었다.
4 We took it easy to prepare food for family.
  우리는 가족을 위해 음식을 준비하는 것을 쉽게 여겼다.

바로 훈련

5 She will find it difficult to finish her task in 24 hours.
  그녀는 24시간 이내에 그녀의 일을 끝내는 것이 어렵다는 것을
  알게 될 것이다.
6 He considers it important to have good manners.
  그는 예의를 갖추는 것을 중요하게 여긴다.
7 The strong winds make it difficult to fly kites.
  강한 바람은 연 날리는 것을 어렵게 만든다.
8 You should consider it serious to buy a new car.
  너는 새 차를 구입하는 것을 진지하게 고려해야 한다.
9 People think it wrong to break the law.
  사람들은 법을 어기는 것이 잘못된 것이라고 생각한다.

3

Sally / had never had / any pets / before. // One day / her friend Daniel / said / ❶ that his pet dog / gave birth
Sally는 전에 애완동물을 키워 본 적이 없었다.　　어느 날 그녀의 친구 Daniel이 자신의 애완견이 한 달 전에 강아지 세 마리를

to / three puppies / a month ago. // And he / asked / Sally / if she / would keep / a puppy. // After hearing this, /
낳았다고 말했다.　　　그리고 그는 Sally에게 강아지를 키울 것인지 물었다.　　　이 말을 듣고 나서,

Sally / asked / her parents / whether she / could bring / a puppy / home / or not. // Her parents / said, / "If you / can
Sally는 부모님께 그녀가 강아지를 집에 데려와도 되는지 아닌지를 여쭤보았다.　　　그녀의 부모님은 "네가 그것을 스스로

take care of / it / yourself, you / can raise / it." // She / was / very happy / for a while. // However, / as time / went
돌볼 수 있다면, 키워도 좋아."라고 말씀하셨다.　　　그녀는 한동안 아주 행복했다.　　　그러나 시간이 지날수록,

by, / she / realized / that she / had / lots of things / to do / for her puppy. // She / had to feed / it / and wash / it. //
그녀는 자신의 강아지를 위해 할 일이 많다는 것을 깨달았다.　　　그녀는 강아지에게 먹이를 주고 그것을 씻겨야 했다.

Sometimes / she / needed / to walk / it / in the park. // Now, / Sally / knows / ❷ why her parents / said / it / was not /
가끔 그녀는 공원에서 강아지를 산책시킬 필요가 있었다.　　이제, Sally는 왜 그녀의 부모님이 애완동물을 키우기가 쉽지 않다고

easy / to take care of / pets.
말씀하셨는지를 안다.

정답　④

문제 해설　Sally는 막상 강아지를 키워 보니 먹이를 주고, 씻겨 주고, 산책을 시켜 주는 등 강아지를 위해 해야 할 일이 많다는 것을 깨달았
　　　　다는 내용이다. 따라서 빈칸에는 ④ '애완동물을 키우기가 쉽지 않다고'가 가장 자연스럽다.
　　　　① 그녀가 동물들을 키워서는 안 된다고 ② 그녀가 강아지 모두를 데려와야 한다고 ③ 그녀가 동물 보호소에서 봉사활동을 해야
　　　　한다고 ⑤ 고양이가 강아지보다 키우기 쉽다고

구문 해설　❶ 「that+주어+동사 ~」 형태의 명사절이 동사 said의 목적어로 쓰였다.
　　　　❷ 「의문사(why)+주어+동사 ~」 형태의 명사절이 동사 knows의 목적어로 쓰였다.

4

Traveling in other countries / is / always an exciting experience. // We / can see and learn / many new things. //
다른 나라들을 여행하는 것은 언제나 즐거운 경험이다.　　　　우리는 많은 새로운 것들을 보고 배울 수 있다.

Recently, / thanks to many travel stories / on the Web / and cell phone tour apps, / we / can learn / much
최근 인터넷상의 많은 여행기들과 휴대 전화 여행 앱 덕분에, 우리는 다른 나라들에 관한 많은 정보를 배울 수 있다.

information / about other countries. // But / there / are / some problems. // Many people / go / to the same tourist
　　　　　그러나 약간의 문제가 있다.　　　　많은 사람들이 똑같은 관광 명소에 가고

attractions / and eat / the same food. // So, / how about taking / a tour / of your own theme? // You / may think / ❶ it /
똑같은 음식을 먹는다.　　　그러니 자신만의 주제가 있는 여행을 해 보는 게 어떨까?　　당신은 그렇게 하는 것이

hard / to do so, / but it / is / simple. // What about visiting / historical museums / or modern art museums? // Or /
어렵다고 느낄지 모르지만, 그것은 간단하다.　역사박물관이나 현대 미술관에 가 보는 것은 어떨까?　　　아니면

going to the cities / where famous writers / were born? // Visiting your favorite soccer club / would also be / good. //
유명한 작가들이 태어난 도시들에 가는 것은 어떨까?　　　자신이 좋아하는 축구 클럽을 방문하는 것도 좋을 것이다.

It / would be / fun, / and you / would remember / it / for a long time. // Designing trips around one theme / will help /
그것은 재미있을 것이고, 당신은 그것을 오랫동안 기억할 것이다.　　　하나의 주제를 중심으로 여행을 설계하는 것은

you / plan differently.
여러분이 색다르게 설계하도록 도와줄 것이다.

정답　⑤

문제 해설　필자는 많은 사람이 똑같은 여행을 하는 것을 문제로 지적하고, 자신만의 주제가 있는 여행을 하도록 권하고 있다. 그 예로, 역사
　　　　박물관, 현대 미술관, 유명한 작가의 고향, 좋아하는 축구 클럽을 들고 있고, ⑤ '유명한 관광 명소'는 많은 사람들이 똑같이 가는
　　　　곳으로 지적하였다.

구문 해설　❶ 「주어+동사+it+형용사+to부정사 ~」로 이루어진 문장으로, it은 가목적어이고 to부정사구(to do so)가 진목적어이다.

구문+어법

1 him	2 me
3 doing	4 to leave
5 what	6 that
7 it	8 to fly

구문 분석 노트

1 ① 간접목적어 ② 명사 ③ 그 소식을
2 ① 동사 ② to부정사구 ③ 매운 것 드시기를
3 ① 목적어 ② 의문사절 ③ 어떻게 작동하는지를
4 ① 진목적어 ② to부정사구 ③ 흥미진진하다고

구문+어법 해석/해설

1 나는 그가 저녁을 요리하는 것을 도왔다.
인칭대명사가 목적어 자리에 올 때는 목적격을 써야 한다.
2 그들은 어제 나에게 특별한 것을 주었다.
4형식 문장의 간접목적어이므로 목적격 인칭대명사 me가 알맞다.
3 우리는 어젯밤에 숙제하는 것을 끝마쳤다.
finish는 동명사가 목적어로 오는 동사이므로 doing이 알맞다.
4 그녀는 영국으로 떠날 것을 결심했다.
decide는 to부정사가 목적어로 오는 동사이므로 to leave가 알맞다.
5 우리는 모두 무엇을 했어야 했는지를 몰랐다.
의미상 '우리가 무엇을 했어야 했는지'가 되어야 자연스러우므로 의문사 what이 와야 한다.

6 우리는 정부가 무언가를 숨기고 있다는 것을 느꼈다.
「that＋주어＋동사 ~」 형태의 명사절 목적어가 되도록 that이 와야 한다.
7 그와 나는 내일까지 우리의 과제를 끝내기가 어렵다는 것을 알았다.
to finish 이하가 진목적어에 해당하므로 가목적어 it이 알맞다.
8 폭우가 연 날리는 것을 어렵게 만들었다.
가목적어 it이 쓰였으므로, 진목적어로 to부정사가 와야 한다.

WORKBOOK

A
1. 목적격	2. 동명사	3. to부정사
4. 의문사절	5. it	

B
1. 국수	2. 비둘기	3. 전기
4. 사과하다	5. 우주선	6. 숨기다
7. 환불하다	8. 외계인	9. 현대의
10. 강아지	11. huge	12. director
13. purpose	14. forecast	15. consider
16. compact	17. realize	18. convenient
19. recently	20. pet	

C
1. prepared	2. refuse	3. revolution
4. manners	5. avoid	

D
1. something, 그들은 그 사막에서 이상한 어떤 것을 경험했다.
2. to get, 그는 역에 그렇게 늦게 도착할 것을 예상하지 못했다.
3. where, 나는 그녀가 겨울 방학 때 어디에 갈 것인지 궁금하다.
4. it, 그는 차를 가지고 있는 것이 편리하다고 생각한다.
5. us, 그녀는 어제 우리에게 책갈피를 주었다.

E
1. She told me her secret.
2. They are planning to have an outdoor wedding.
3. People used this huge machine for various purposes.
4. They said that I should apologize and do something good for you.
5. I didn't know who the President of France was.
6. The strong winds made it difficult to fly kites in the sky.
7. She decided to leave for L.A.
8. We hope that he will get better soon.

F
1. Why don't we go out and have
2. mind adding some mustard dressing
3. think it hard to do so
4. when the event took place
5. that the company was hiding something
6. began to keep [keeping] a diary
7. needed to walk the puppy
8. it possible to find the girl

Unit 3 보어 자리에 오는 것

01 바로 예문

1 Jessica's husband is kind and polite.
  Jessica의 남편은 친절하고 예의 바르다.
2 Today's topic is alternative energies.
  오늘의 주제는 대체 에너지이다.
3 This fresh bread tastes delicious.
  이 갓 구운 빵은 맛있다.
4 Christmas is one of my favorite holidays.
  성탄절은 내가 가장 좋아하는 휴일 중 하나이다.

바로 훈련

5 This hat doesn't look good on you.
  이 모자는 네게 어울리지 않는다.
6 The early morning air in the forest felt fresh.
  그 숲에서 이른 아침의 공기는 상쾌하게 느껴졌다.
7 All of us were so excited to hear the news.
  우리 모두는 그 소식을 듣고 아주 기뻤다.
8 The best novel that I have ever read is *The Great Gatsby*.
  내가 지금까지 읽어 본 최고의 소설은 '위대한 개츠비'이다.
9 One common thing between Dad and me was our hair color.
  아빠와 나 사이의 한 가지 공통점은 우리의 머리카락 색이었다.

02 바로 예문

1 His job is taking care of patients.
  그의 직업은 환자들을 돌보는 것이다.
2 My dream is to become a famous writer.
  나의 꿈은 유명한 작가가 되는 것이다.
3 The next step is carrying these upstairs.
  다음 단계는 위층으로 이것들을 나르는 것이다.
4 The rule of the game is not to speak Korean.
  그 게임의 규칙은 한국어로 말하지 않는 것이다.

바로 훈련

5 What I want to do now is eating delicious snacks.
  내가 지금 하고 싶은 일은 맛있는 간식을 먹는 것이다.
6 Our last choice was taking a boat to the island.
  우리의 마지막 선택은 배를 타고 그 섬까지 가는 것이었다.
7 What you shouldn't do is playing the piano until late.
  네가 해선 안 되는 일은 늦게까지 피아노를 치는 것이다.
8 The athlete's goal is to win a gold medal.
  그 운동선수의 목표는 금메달을 따는 것이다.
9 The most fun activity in the zoo was to feed the dolphins.
  동물원에서 가장 재미있었던 활동은 돌고래에게 먹이를 주는 것이었다.

1

Mexicans / really enjoy / eating corn. // They / have grown / this grain / for thousands of years, / and it / has
멕시코 사람들은 옥수수 먹는 것을 무척 좋아한다.   그들은 수천 년 동안 이 곡물을 길러 왔고, 그것은 그들의 주식이 되었다.

become / ❶ **their main food**. // Nachos and tacos / are / two Mexican foods / made from corn. // Nachos / are / thin
나초와 타코는 옥수수로 만든 두 가지 멕시코 음식이다.   나초는 옥수숫가루로

fried chips / made from corn powder. // They / are often eaten / with cheddar cheese and salsa. // While nachos
만든 얇게 튀긴 칩이다.   그것들은 종종 체다 치즈와 살사 소스를 곁들여 먹는다.   나초가 간식으로

are served / as a snack, / tacos / are enjoyed / as meals. // Tacos / are made / with tortillas. // Tortillas / are / thin
제공되는 반면, 타코는 식사로 즐겨진다.   타코는 토르티야로 만들어진다.   토르티야는 옥수수나

pieces of Mexican bread / made from corn or wheat. // They / are rolled / with various fillings, / like beef, chicken,
밀로 만든 얇은 멕시코식 빵이다.   토르티야는 소고기, 닭고기, 채소 그리고 치즈와 같은 다양한 속과

vegetables and cheese. // These two Mexican foods / are / ❷ **very popular** / all around the world.
함께 돌돌 말린다.   이 두 가지 멕시코 음식은 전 세계적으로 인기가 많다.

정답   ③
문제 해설   'While nachos ~ as meals.'에서 나초는 간식으로 제공되지만, 타코는 식사로 즐겨진다고 했으므로 ③은 글의 내용과 일치하지 않는다.
구문 해설   ❶ their main food는 and로 이어진 등위절에서 주어 it(= corn)을 보충 설명하는 명사구 주격보어이다.
            ❷ very popular는 주어 These two Mexican foods를 보충 설명하는 형용사구 주격보어이다.

2

World Heritage Sites / are listed / by UNESCO / every year. // In 2018, / the number / of World Heritage Sites /
세계 유산은 매년 유네스코(UNESCO)에 의해 지정된다.　　　　　　2018년에 세계 유산의 수는 1,092개였으며, 167개국이

was / 1,092, / and 167 countries / have / at least one of these sites. // The reason / why UNESCO / names / World
적어도 이 중 하나의 유산을 가지고 있다.　　　　　　　　　　　　　유네스코가 세계 유산을 지정하는 이유는 이 장소들을

Heritage Sites / is / ❶ **to protect those places**. // There / are / two kinds of World Heritages: / Cultural Heritages
보호하는 것이다.　　　　　　　　　　세계 유산에는 문화유산과 자연 유산 두 종류가 있다.

and Natural Heritage Sites. // World Cultural Heritages / are / mostly creative art works / which are / important / in
　　　　　　　　　　　세계 문화유산은 주로 우리 역사에서 중요한 창의적인 예술 작품들이다.

our history. // For example, / ancient buildings or famous writers' literary works / can belong / to this category. //
예를 들어, 고대의 건물들이나 유명한 작가의 문학 작품들이 이 범주에 속할 수 있다.

Natural Heritage Sites / are / usually places / which are / surprisingly beautiful / or have / unique landscapes. //
자연 유산은 대개 놀랍도록 아름답거나 독특한 경관을 가진 장소들이다.

One good reason / for naming a place / a Natural Heritage Site / is / ❷ **to save endangered animals**.
어떤 장소를 자연 유산으로 지정하는 한 가지 합당한 이유는 멸종 위기에 처한 동물들을 구하는 것이다.

정답 ④

문제 해설 이 글은 유네스코가 지정하는 세계 유산을 설명한 글이다. 빈칸의 앞에서는 문화유산의 정의가 나오고, 빈칸 뒤에서는 이 범주에 속하는 구체적인 예들이 나오므로, 빈칸에 알맞은 연결어는 ④ '예를 들어'이다.

① 마침내 ② 그러나 ③ 대신에 ⑤ 게다가

구문 해설 ❶ to protect those places는 문장의 주어 The reason을 보충 설명하는 to부정사구 주격보어이다.

❷ to save endangered animals는 주어 One good reason을 보충 설명하는 to부정사구 주격보어이다.

STEP 1 ≫ 구문 Start

pp. 38~39

03 [바로 예문]

1 This wallet is what he lost a week ago.
　이 지갑은 그가 일주일 전에 잃어버린 것이다.

2 The fact is that he gave up the game.
　사실은 그가 그 경기를 포기했다는 것이다.

3 That is exactly what I want to know.
　그것이 바로 내가 알고 싶은 것이다.

4 The good news is that they are still alive.
　좋은 소식은 그들이 여전히 살아 있다는 것이다.

[바로 훈련]

5 This necklace is / what I gave her 10 years ago.
　이 목걸이는 내가 십 년 전에 그녀에게 준 것이다.

6 A mystery is / that the spaceship disappeared one night.
　불가사의한 일은 그 우주선이 어느 날 밤 사라졌다는 것이다.

7 Those sandals are exactly / what I have been looking for!
　저 샌들은 내가 찾고 있던 바로 그거야!

8 Her rude attitude was / what I couldn't stand at that time.
　그녀의 무례한 태도가 그 당시에 내가 참지 못한 것이었다.

9 The best thing about the trip was / that we could enjoy seafood.
　그 여행에서 가장 좋았던 것은 우리가 해산물을 즐길 수 있었다는 것이었다.

04 [바로 예문]

1 I named the newborn kitten Sarang.
　나는 갓 태어난 새끼 고양이를 사랑이라고 이름 지었다.

2 You will find it boring at once.
　너는 그것이 따분하다는 것을 즉시 알게 될 것이다.

3 She expected him to be a professor.
　그녀는 그가 교수가 될 거라고 기대했다.

4 He told me never to do it.
　그는 내게 그것을 절대 하지 말라고 말했다.

[바로 훈련]

5 The students chose him their class leader.
　그 학생들은 그를 자신들의 반장으로 선택했다.

6 My classmates call me "Walking Dictionary."
　나의 반 친구들은 나를 '걸어 다니는 사전'이라고 부른다.

7 This blanket will keep you warm in very cold weather.
　이 담요는 몹시 추운 날씨에 너를 따뜻하게 해 줄 것이다.

8 They asked us not to go inside the yellow line.
　그들은 우리에게 노란 선 안쪽으로 가지 말라고 부탁했다.

9 His parents didn't allow Jake to enter the talent show.
　그의 부모님은 Jake가 장기 자랑에 나가는 걸 허락하지 않으셨다.

3

Can you imagine / the Arctic / without polar bears? // The ice / covering the Arctic / is now melting / because of
여러분은 북극곰이 없는 북극을 상상할 수 있는가?   북극을 덮고 있는 얼음은 지구 온난화로 인해 현재 녹고 있다.

global warming. // The result / is / ❶ **that polar bears** / **hardly find** / **enough food** / **to eat,** / **and many** / **starve** /
        그 결과는 북극곰이 충분한 먹이를 찾지 못하고, 많은 수가 굶어 죽는다는 것이다.

to death. // Polar bears / usually eat / seals / which eat / small fish / under the sea. // These small fish / eat /
북극곰은 주로 바닷속 작은 물고기들을 먹는 바다표범을 먹는다.   이 작은 물고기들은 바닷속의

plankton, / which are / tiny living things / underwater. // As the water / gets / warmer, / this plankton / no longer can
아주 작은 생물인 플랑크톤을 먹는다.   물이 점점 더 따뜻해지면서 이 플랑크톤은 더 이상 북극에 살 수 없다.

live / in the Arctic. // Soon / small fish / begin / to disappear, / and then seals / start / to die. // Another reason / for
        곧 작은 물고기들이 사라지기 시작하고, 뒤이어 바다표범들이 죽기 시작한다.   (바다표범들이 죽는 또 다른

seals' death / is / ❷ **that human hunters** / **kill** / **many of them.** // Thus, / polar bears, / who need / to eat seals /
이유는 인간 사냥꾼들이 그들을 많이 죽이기 때문이다.)   따라서 생존을 위해 바다표범을 먹어야 하는 북극곰 또한

to survive, / are also endangered / now.
현재 멸종 위기에 처해 있다.

정답   ⑤

문제 해설   이 글은 지구 온난화로 인해 북극곰이 멸종 위기에 처해 있음을 설명하고 있다. 북극 생태계의 먹이사슬에 속하는 플랑크톤, 작은
        물고기, 바다표범들이 온난화로 인해 처한 상황이 차례로 제시되고 있는데, ⑤는 인간들의 바다표범 사냥에 관한 내용이므로, 글의
        전체 흐름과 어울리지 않는다.

구문 해설   ❶ that이 이끄는 명사절이 주어 The result를 보충 설명하는 주격보어로 쓰였다. that절 안에서 등위접속사 and로 두 개의 절이
        연결되어 있다.
        ❷ that이 이끄는 명사절이 주어 Another reason을 보충 설명하는 주격보어로 쓰였다.

4

Tony's problem / was / writing English essays. // When his teacher / told / him / ❶ **to hand in** / **another writing**
Tony의 문제는 영어로 수필을 쓰는 것이었다.   지난 수업에서 그의 선생님이 그에게 또 하나의 작문 과제를 제출하라고

assignment / last class, / Tony / almost cried. // His classmate Chris / saw / this / and asked, / "What's wrong,
말했을 때, Tony는 거의 울 뻔했다.   그의 반 친구 Chris가 이것을 보고 물었다.   "무슨 일이야,

Tony? // You / look / so sad." // "I'm very poor at / writing English essays. // Last time, / I / got / a D," / said / Tony. //
Tony?   매우 슬퍼 보이는데."   "나는 영어 수필을 잘 못 써.   지난번에 나는 D를 받았어."라고 Tony가 말했다.

"Oh, / why don't you join / our English writing club? // We / write / English essays / every week / and share / opinions /
"오, 너 우리 영어 작문 동아리에 들어올래?   우리는 매주 영어 수필을 쓰고 그것들에 관한 의견을 공유해.

about them. // Our club / can help / you," / said / Chris. // "What a brilliant idea! / I've never thought about /
          우리 동아리가 널 도와줄 수 있어."라고 Chris가 말했다.   "정말 멋진 생각이야!   나는 작문 동아리에 가입하는

joining a writing club. // Thank you so much!" / said / Tony / and he / became / a member of the club. // After five
것을 전혀 생각하지 못했어. 정말 고마워!"라고 Tony가 말했고, 그는 그 동아리의 회원이 되었다.   5주 뒤에,

weeks, / Tony / got / his first A⁺ on his English essay.
Tony는 처음으로 영어 수필에서 A⁺를 받았다.

정답   ②

문제 해설   (A) 주격보어 자리이므로, 동명사 writing이 알맞다. (B) 상대방에게 권유할 때 쓰는 표현은 'Why don't you＋동사원형 ~?'
        이나 'How about＋동사원형-ing ~?'이므로, why가 알맞다. (C) English essays를 가리키는 대명사여야 하므로, 복수형 them
        이 알맞다.

구문 해설   ❶ 「tell＋목적어＋to부정사」의 형태이며, 목적어 him을 보충 설명하는 목적격보어로 to부정사구가 쓰였다.

구문+어법

1 delicious	**2** to play
3 buying	**4** that
5 what	**6** him
7 her	**8** to leave

구문 분석 노트

1 ① 주어 ② 형용사구 ③ 친절하고
2 ① 동사 ② 동명사구 ③ 돌보는 것
3 ① 주격보어 ② that절 ③ 왔다는 것
4 ① 목적격보어 ② 명사 ③ 그의 아들을

구문+어법 해석/해설

1 이 케이크는 아주 맛있다.
주어의 상태를 나타내는 주격보어 자리이므로, 형용사 delicious
가 알맞다.

2 내가 지금 하고 싶은 것은 피아노를 연주하는 것이다.
주격보어 역할을 하는 to부정사가 와야 한다.

3 우리의 선택은 자주색 우산을 사는 것이다.
주격보어 역할을 하는 동명사가 와야 한다.

4 그녀가 그 프로젝트를 포기했다는 것이 사실이다.
'그녀가 그 프로젝트를 포기했다는 것'이라는 의미가 있는
「that+주어+동사 ~」 형태의 명사절이 되도록 that이 와야 한다.

5 이 신발은 우리가 찾고 있던 바로 그것이다.
'우리가 찾고 있던 것'이라는 의미가 있는 「what+주어+동사 ~」
형태의 명사절이 되도록 what이 와야 한다.

6 그의 반 친구들은 그를 그들의 반장으로 뽑았다.
인칭대명사가 목적어로 올 때 목적격을 써야 한다.

7 그녀의 어머니는 그녀를 훌륭한 예술가로 만들었다.
인칭대명사가 목적어로 올 때 목적격을 써야 한다.

8 그녀는 우리에게 안전 지역을 떠나지 말라고 요청했다.
ask가 동사로 쓰인 문장에서 목적격보어는 to부정사가 오므로
to leave가 알맞다.

WORKBOOK   pp. 10~13

A
1. 주어   2. 형용사   3. be동사
4. 주어   5. 목적격   6. 목적어
7. to부정사

B
1. 대체의   2. 곡물   3. 훌륭한, 멋진
4. 과제   5. 담요   6. 참다, 견디다
7. 새끼 고양이   8. 고대의   9. 굶주리다
10. 풍경   11. attitude   12. activity
13. corn   14. disappear   15. necklace
16. melt   17. heritage   18. lawyer
19. seal   20. endangered

C
1. polite   2. common   3. blanket
4. newborn   5. ordered

D
1. tired, 우리는 그 어려운 시험 때문에 피곤하다고 느꼈다.
2. to make, 내게 어려운 한 가지는 친구들을 사귀는 것
   이다.
3. to play, 나의 부모님은 내가 저녁에 밖에서 노는 것을 허
   락하지 않으셨다.
4. exciting, 그녀는 그것이 신난다는 것을 즉시 알게 될 것
   이다.
5. that, 문제는 그들이 충분한 돈을 가지고 있지 않다는 것
   이다.

E
1. The best novel that I have ever read is *Animal
   Farm*.
2. The rule of the game is not to say any words.
3. His teacher told him to hand in another writing
   assignment.
4. My dream is to become a famous singer.
5. His rude attitude is what I can't stand.
6. She advised me to read many books.
7. One good reason for it is to save endargered
   animals.
8. A mystery is that the car disappeared one night.

F
1. were happy to hear
2. was feeding [to feed] the giraffe
3. Her favorite activity is riding [to ride] a bicycle
4. are exactly what he has been looking for
5. expected her to be a dancer
6. told him never to go there
7. that polar bears hardly find enough food to eat
8. are two Mexican foods made from corn

Unit 4 시제

01 바로 예문

1 She is talking on the phone now.
그녀는 지금 전화로 이야기하고 있다.

2 At that time he was traveling in Australia.
그 당시에 그는 호주를 여행하고 있었다.

3 The phone rang while we were eating dinner.
우리가 저녁을 먹던 중에 전화벨이 울렸다.

4 Children are running around on the playground.
아이들이 운동장에서 뛰어다니고 있다.

바로 훈련

5 I am looking for my wallet now.
나는 지금 내 지갑을 찾고 있다.

6 What were you doing around nine o'clock last night?
어젯밤 9시쯤에 너는 무엇을 하고 있었니?

7 Grace is reading the story about the writer's childhood.
Grace는 그 작가의 어린 시절을 다룬 이야기를 읽고 있다.

8 My sisters and I were mopping the stairs.
내 여동생들과 나는 계단을 닦고 있었다.

9 When I arrived in Busan, he was waiting for me.
내가 부산에 도착했을 때, 그는 나를 기다리고 있었다.

02 바로 예문

1 I have been to Europe once.
나는 유럽에 한 번 가 본 적이 있다. 〈경험〉

2 She has just finished her homework.
그녀는 방금 숙제를 끝냈다. 〈완료〉

3 Lucas has worked here for ten years.
Lucas는 이곳에서 10년 동안 일을 해 왔다. 〈계속〉

4 I have left my umbrella at home.
나는 우산을 집에 두고 와 버렸다. 〈결과〉

바로 훈련

5 My best friend Jason has gone to Spain.
나의 가장 친한 친구인 Jason이 스페인으로 가 버렸다.

6 Have you ever written an English article before?
너는 이전에 영어로 기사를 써 본 적이 있니?

7 I haven't decided what to order for dessert yet.
나는 아직 후식으로 무엇을 주문할지 정하지 않았다.

8 Haven't we met before? You look familiar to me.
우리 이전에 만난 적 없나요? 당신은 제게 낯이 익습니다.

9 She has learned Chinese for years.
그녀는 수년간 중국어를 배워 왔다.

1

Minseo's hobby is / playing the drums. // But / she is / a little different / from other drum lovers. // She / ❶ **is**
민서의 취미는 드럼을 연주하는 것이다. 그러나 그녀는 다른 드럼 애호가들과는 조금 다르다. 요즘에

broadcasting / her drum-playing videos / on the Web / these days. // Her videos have / 500,000 viewers, / and
그녀는 자신이 드럼을 연주하는 영상을 인터넷으로 방송하고 있다. 그녀의 영상은 50만 명의 구독자를 가지고 있으며,

she ❷ **has become** / a famous drummer. // The case of Minseo / is one example / of personal broadcasting. //
그녀는 유명한 드럼 연주자가 되었다. 민서의 경우는 개인 방송의 한 사례이다.

Personal broadcasting means / that an individual broadcaster / creates / his or her own content / with a camera or
개인 방송은 한 개별 방송인이 카메라나 스마트폰으로 자신만의 콘텐츠를 만드는 것을 의미한다.

a smartphone. // The content / is diverse, / not only music or computer games / but also beauty and education, /
콘텐츠는 음악이나 컴퓨터 게임뿐만 아니라 미용이나 교육, 심지어 음식을 먹는 것까지 다양하다!

and even eating food! / From young people / to old men, / anybody / who has a camera or a smartphone / can do /
어린이부터 노인들까지 카메라나 스마트폰이 있는 사람이라면 누구나 개인 방송을 할 수 있다.

personal broadcasting. // How about you? // You can make / your own program / that suits your taste!
여러분은 어떠한가? 여러분은 취향에 맞는 자신만의 프로그램을 만들 수 있다!

정답   ③

문제 해설 개인 방송의 사례인 민서의 이야기를 다룬 뒤, 카메라와 스마트폰이 있으면 누구나 자신의 취향에 맞는 주제로 개인 방송을 할 수
있다고 했다. 따라서 글의 제목으로 알맞은 것은 이러한 내용을 포괄하는 ③ '새로운 유행: 개인 방송'이다. ① 드럼 연주: 인기 있
는 취미 ② 스마트폰: 방송인이 필요한 것 ④ 무엇이 당신의 방송을 매력적으로 만드는가? ⑤ 좋은 방송을 만드는 방법

구문 해설 ❶ 「is+동사원형-ing」 형태의 현재진행형으로 '방송하고 있다'라는 의미를 나타낸다.
❷ 「has+p.p.」 형태의 현재완료로 '드럼 연주자가 되었다'라는 '결과'의 의미를 나타낸다.

Nowadays, / most students / ❶ **have developed** / a habit of watching videos, / playing computer games, / or
요즘에는 대부분의 학생들이 영상을 보거나, 컴퓨터 게임을 하거나, 음악을 듣는 습관을 갖게 되었다.

listening to music. // They all use / earphones. // As a result of this, / many students are / at risk of hearing loss. //
그들은 모두 이어폰을 사용한다. 그 결과, 많은 학생들이 청력 손실의 위험에 처해 있다.

Then / what should we do? // Here are / some tips / to protect your hearing. // First, / find out / if your video or
그렇다면 우리는 무엇을 해야 할까? 여기에 여러분의 청력을 보호하기 위한 몇 가지 조언이 있다. 우선, 여러분의 영상이나 음악이

music is / at a safe volume: / Ask people / sitting near you / if they can hear / your music. // If they can, / it's a sign /
안전한 음량인지 알아내라. 여러분 가까이에 앉아 있는 사람들에게 여러분의 음악이 들리는지 물어보라. 만약 들린다면, 그것은

that your hearing / is being damaged. // Turn the volume down / until other people / can no longer hear / it. // And /
여러분의 청력이 손상되고 있다는 징후이다. 다른 사람들이 그것을 더 이상 들을 수 없을 때까지 음량을 낮춰라. 그리고

you should limit / the amount of time / you spend / with earphones / in your ears / to 60 minutes. // Also, / you
귀에 이어폰을 끼고 보내는 시간의 양을 60분으로 제한해야 한다. 또한, 음악을

should not go to sleep / listening to music.
들으면서 잠을 자서는 안 된다.

정답 ②

문제 해설 주어진 문장은 청력을 보호하기 위한 몇 가지 조언이 있다는 내용이므로, 청력을 보호하기 위해 무엇을 해야 하는지를 묻는 문장
(Then what should we do?)과 청력을 보호하기 위한 방법들(First, find out ....) 사이인 ②에 오는 것이 알맞다.

구문 해설 ❶ 「have + p.p.」 형태의 현재완료로 '갖게 되었다'라는 '결과'의 의미를 나타낸다.

STEP 1 ≫ 구문 Start

pp. 48~49

03 바로 예문

1 Your mother said you had already left.
네 어머니는 네가 이미 떠났다고 말씀하셨다.

2 I found my pet that I had lost last week.
나는 지난주에 잃어버렸던 내 애완동물을 찾았다.

3 Lucy told him that she had been to London.
Lucy는 런던에 가 봤다고 그에게 말했다.

4 He had lived here for five years before I met him.
내가 그를 만나기 전에 그는 이곳에 5년 동안 살았다.

바로 훈련

5 He had tried to call me before I left for vacation.
그는 내가 휴가를 떠나기 전에 내게 전화하려고 했었다.

6 She found somebody had broken into her house.
그녀는 누군가가 그녀의 집에 침입했었다는 것을 알았다.

7 Before the car was invented, people had used horses.
자동차가 발명되기 전에 사람들은 말을 이용했었다.

8 Horace said that he had worked as a police officer
before.
Horace는 전에 경찰관으로 일했었다고 말했다.

9 I have lived in Seoul for a year, but I had lived in Busan
before that.
나는 서울에 1년째 살고 있지만, 그 전에는 부산에 살았었다.

04 바로 예문

1 People will travel in space in 50 years.
사람들은 50년 후에 우주를 여행할 것이다.

2 She is going to see a dentist next Monday.
그녀는 다음 주 월요일에 치과에 갈 것이다.

3 Ron won't come to the meeting this Friday.
Ron은 이번 금요일 회의에 오지 않을 것이다.

4 They will be singing the song next year.
그들은 내년에 그 노래를 부르고 있을 것이다.

바로 훈련

5 I am not going to eat lunch in the local restaurant.
나는 그 지역의 식당에서 점심을 먹지 않을 것이다.

6 The students are going to attend the English camp.
그 학생들은 영어 캠프에 참석할 것이다.

7 He will put off his departure because of the heavy rains.
그는 폭우 때문에 출발을 미룰 것이다.

8 Sea turtles won't reach the shore because of wild
waves.
바다거북들은 거친 파도 때문에 해안에 이르지 못할 것이다.

9 We will be flying to Italy at this time the day after
tomorrow.
우리는 모레 이 시간에 이탈리아로 날아가고 있을 것이다.

3

Mozart and Beethoven were / very different / in their lives and music. // Mozart was / a musical genius /
모차르트와 베토벤은 그들의 인생과 음악에 있어서 무척 달랐다.　　　　　　　　　모차르트는 어렸을 때부터 음악의

from an early age. // His father, / who ❶**had** also **been** a musician, / took him to Europe / to make him / a great
천재였다.　　　　　　그의 아버지 역시 음악가였는데, 그를 위대한 음악가로 만들기 위해 유럽으로 데려갔다.

musician. // Mozart started / writing music / at 5, / and he made / many calm and beautiful pieces of music. //
　　　　　　모차르트는 5세에 작곡을 시작했고, 평온하고 아름다운 음악 작품을 많이 만들었다.

On the other hand, / Beethoven was not / a genius / like Mozart. // His father / taught him / to play the piano /
반면에 베토벤은 모차르트처럼 천재는 아니었다.　　　　　　　그의 아버지는 돈을 벌기 위해 그에게 피아노 연주를

to make money. // After he became / a great pianist, / he got / an ear disease. // He couldn't hear well, / but he
가르쳤다.　　　　그는 위대한 피아니스트가 되고 난 뒤에 귓병을 얻었다.　　　　그는 잘 들을 수 없었지만, 오로지

passionately concentrated / only on music. // As a result, / he created / many powerful and passionate pieces of
음악에만 열정적으로 전념했다.　　　　결과적으로 그는 강렬하고 열정적인 음악 작품을 많이 창작했다.

music.

정답　　　⑤

문제 해설　베토벤이 귓병을 얻은 것은 위대한 피아니스트가 되고 난 뒤의 일이므로, 과거완료가 아닌 과거시제를 써야 한다. 따라서 ⑤ had
　　　　　gotten을 got으로 바꿔야 한다.

구문 해설　❶그의 아버지가 음악가였던 것은 아버지가 그를 유럽에 데려간 것보다 이전의 일이므로 「had+p.p.」 형태의 과거완료가 쓰였다.

4

Tomorrow, / our family / is finally leaving / for Guam! // It is / a beautiful island / in the Pacific, / and many
내일 우리 가족은 드디어 괌으로 떠난다!　　　　　　그곳은 태평양의 아름다운 섬이며, 많은 관광객들이 휴가를

travelers / visit there / for vacation. // My sister and I / have been busy / packing / since morning. // Ah! I forgot / to
보내기 위해 그곳을 방문한다.　　　　내 여동생과 나는 아침부터 짐을 싸느라 바쁘다.　　　　　이런! 나는

buy / sunglasses and sunscreen! // Because it ❶**will be** / very hot / on the island, / without them, / I ❷**will have to**
선글라스와 선크림 사는 것을 잊어버렸다! 그 섬은 무척 더울 것이기 때문에, 그것들이 없으면 나는 호텔에 있어야 할 것이다.

stay / in the hotel. // Dad is packing / his fishing pole and camera. // He is very excited / thinking about / just fishing
　　　아빠는 낚싯대와 사진기를 싸고 계신다.　　　　　아빠는 온종일 배 위에서 낚시를 할 생각에 무척 들떠

on a boat / all day long. // Mom is / on the phone / checking our schedule / once again. // Tomorrow afternoon, /
계신다.　　　　엄마는 우리의 일정을 다시 한 번 확인하는 전화 통화를 하고 계신다.　　　내일 오후에 우리 모두는

all of us / ❸**will be flying** / to Guam!
괌으로 날아가고 있을 것이다!

정답　　　③

문제 해설　다음날 괌으로 여행을 떠나는 가족이 여행 준비를 하는 모습에서 ③ '분주함'을 느낄 수 있다. 'My sister and I have been busy
　　　　　packing ....', 중반부의 'Dad is packing ....', 마지막 부분인 'Mom is on the phone checking ....'에서 여행 준비에 분주한 가
　　　　　족들의 모습이 잘 드러나 있다.

구문 해설　❶「will+동사원형」의 미래시제이다.
　　　　　❷미래시제를 나타내는 will 뒤에 '~해야 한다'라는 의무의 뜻을 나타내는 표현 have to가 왔다.
　　　　　❸「will be+동사원형-ing」 형태의 미래진행형이다.

구문+어법

1 is reading	2 were cleaning
3 decided	4 known
5 had been	6 had
7 will open	8 starting

구문 분석 노트

1 ① 동사원형-ing ② 현재진행형 ③ 오르고 있다
2 ① p.p. ② 현재완료 ③ 잃어버렸다
3 ① had ② 과거완료 ③ 종이 울리기 전에
4 ① will ② 미래진행형 ③ 날아가고 있을 것이다

구문+어법 해석/해설

1 그는 2차 세계대전에 관한 책을 읽고 있다.
「am/is/are+동사원형-ing」 형태의 현재진행형이 되도록 is reading이 와야 한다.

2 그녀의 아이들은 집을 청소하고 있었다.
「was/were+동사원형-ing」 형태의 과거진행형이 쓰인 문장이다. 주어(Her children)가 3인칭 복수이므로 were cleaning이 와야 한다.

3 나는 이번 주말에 무엇을 할지 정하지 않았다.
현재완료의 부정은 have/has 뒤에 not을 쓰며, haven't/hasn't로 줄여 쓸 수 있다. 앞에 haven't가 쓰였으므로, 과거분사 decided가 와야 한다.

4 Jamie와 나는 2018년부터 서로를 알아 왔다.
「have/has+p.p.」 형태의 현재완료형이 되도록 과거분사 known이 와야 한다.

5 준수는 지난겨울에 베이징에 갔었다고 말했다.
준수가 말한 것보다 그가 베이징에 갔던 것이 먼저 일어난 일이므로 「had+p.p.」 형태의 과거완료인 had been이 알맞다.

6 Alex는 그가 전에 책 디자이너로 일했었다고 말했다.
Alex가 말한 것보다 그가 책 디자이너로 일한 것이 더 이전의 일이므로 「had+p.p.」 형태의 과거완료가 되도록 had가 와야 한다.

7 병원은 다음 주 수요일에 문을 열 것이다.
다음 주 수요일, 즉 미래의 일을 나타내야 하므로 will open이 와야 한다.

8 그 밴드는 내일 이 시간에 공연을 시작하고 있을 것이다.
「will be+동사원형-ing」 형태의 미래진행형이 되도록 starting이 와야 한다.

WORKBOOK   pp. 14~17

A
1. ~하는 중이다	2. was/were	3. 현재완료
4. had	5. going	6. ~하고 있을 것이다

B
1. 어린 시절	2. 일정	3. 아끼는
4. 다양한	5. 요즘에는	6. 후식
7. (신문 등의) 글, 기사		8. (짐을) 싸다
9. ~에게 맞다	10. 익숙한, 낯익은	11. mop
12. limit	13. passionately	14. damage
15. broadcast	16. genius	17. concentrate
18. orchestra	19. habit	20. individual

C
1. local	2. attend	3. invented
4. departure	5. familiar	

D
1. learned, 그녀는 2년간 스페인어를 배워 왔다.
2. playing, 아이들은 운동장에서 축구를 하고 있다.
3. were, Harry와 그의 친구는 공항에서 나를 기다리고 있었다.
4. had, Jack은 전에 패션모델로 일했었다고 말했다.
5. to see, 그녀는 이번 금요일에 치과에 갈 것이다.

E
1. People are going to travel in space in the future.
2. They have known each other since 2016.
3. Dad is packing his fishing pole and camera.
4. We found our pet that we had lost last month.
5. She is looking for her kitten now.
6. Sea turtles won't reach the shore because of wild waves.
7. I had just finished cleaning my room when she came home.
8. His father, who had been a musician, took him to Europe.

F
1. I was eating lunch
2. He has not decided what to order
3. have developed a habit
4. had broken into our house
5. They will be flying to France
6. He had tried to call me
7. has gone to Spain
8. She is broadcasting her drum-playing videos

Unit 5 조동사

01 바로 예문

1 I can hold my breath for two minutes.
나는 2분 동안 숨을 참을 수 있다.

2 She is able to catch fish with her bare hands.
그녀는 맨손으로 물고기를 잡을 수 있다.

3 Will you give me a second chance?
나에게 기회를 한 번 더 줄래?

4 Could you tell me where the city hall is?
시청이 어디에 있는지 저에게 말씀해 주시겠어요?

바로 훈련

5 Can you give me a glass of water?
나에게 물을 한 잔 줄래?

6 Would you give me a ride to the station?
저를 역까지 차로 태워다 주시겠어요?

7 Jerry was not able to solve the math problem.
Jerry는 그 수학 문제를 풀 수 없었다.

8 They could not travel to Peru last winter.
그들은 지난겨울에 페루로 여행을 갈 수 없었다.

9 I cannot speak good Chinese but can speak English well.
나는 능숙한 중국어로는 말을 못하지만 영어로는 말을 잘할 수 있다.

02 바로 예문

1 Our staff members must wear white caps.
우리 직원들은 흰색 모자를 써야 한다.

2 He has to submit his term papers today.
그는 오늘 그의 학기말 보고서를 제출해야 한다.

3 Students should follow the school policy.
학생들은 학교 정책을 따라야 한다.

4 You should take a break for a while.
너는 잠시 휴식을 취하는 게 좋겠다.

바로 훈련

5 I have to be in the office by 7 a.m.
나는 오전 7시까지 사무실에 가 있어야 한다.

6 Olivia should take medicine for her headache.
Olivia는 두통 때문에 약을 먹어야 한다.

7 You should go and see a doctor for your bad cold.
너는 가서 독감에 대한 진찰을 받아 보는 것이 좋겠다.

8 Drivers must yield to emergency vehicles.
운전자들은 구급차에 양보해야 한다.

9 Firefighters must wear their helmets when they work.
소방관들은 일할 때 그들의 헬멧을 써야 한다.

1

Pearl Harbor was / a peaceful place / in Hawaii / where a U.S. navy base / was built. // All the soldiers / ❶ could
진주만은 미국 해군 기지가 들어서 있는 하와이의 평화로운 곳이었다.   모든 군인들은 하와이의

enjoy / the nice weather / and beautiful beaches / of Hawaii. // But / one fine Sunday morning / in 1941, / the
멋진 날씨와 아름다운 해변을 즐길 수 있었다.   하지만 1941년의 어느 화창한 일요일 아침, 일본 군대가

Japanese army / attacked / this harbor / suddenly. // Nobody knew of / their plan, / so / most of the soldiers / had
이 항만을 갑자기 공격했다.   아무도 그들의 계획을 몰랐기 때문에, 대부분의 군인들은 주말 동안

left / the base / for the weekend. // The result / was terrible. // When the soldiers / came back / to the base / and
기지를 떠나 있었다.   그 결과는 참혹했다.   군인들이 기지로 돌아와 싸웠을 때에도 그들은 일본 군대를

fought, / they ❷ couldn't beat / the Japanese army. // Most of their ships and planes / were destroyed, / and many
이길 수 없었다.   대부분의 배와 비행기들이 파괴되었고, 많은 사람들이 죽었다.

people / died. // The U.S. was / very angry / about Japan's attack / and this brought / the U.S. / into World War Ⅱ.
미국은 일본의 공격에 무척 화가 났고, 이것은 미국을 제2차 세계대전에 불러들였다.

정답   ①

문제 해설   조동사 could는 can의 과거형으로 '~할 수 있었다'라는 가능의 의미를 나타내며, 그 뒤에는 동사원형이 와야 하므로 ① enjoying을
          enjoy로 바꿔야 한다.

구문 해설   ❶ 조동사 could는 can의 과거형으로 '~할 수 있었다'라는 가능의 의미를 나타내며, 그 뒤에는 동사원형이 온다.
          ❷ 조동사 could의 부정형 couldn't는 '~할 수 없었다'라는 불가능의 의미를 나타낸다.

2

One very cold day in January, / an old woman / was brought / to a judge / with the crime of stealing bread. // The
1월의 몹시 추운 어느 날, 한 노파가 빵을 훔쳤다는 죄목으로 판사에게 끌려왔다.

woman said / that her grandchildren / were starving, / and she had / no money / to pay for the bread. // The judge /
그 여인은 손주들이 굶고 있으며 자신에게는 빵값을 지불할 돈이 없다고 말했다.   판사는 그녀를

turned to her / and said, / "I know / you did it / for your grandchildren, / but / you ❶ **must** not break / the law. //
향해 고개를 돌리며 말했다.   "당신이 손주들을 위해 그 일을 했다는 것은 알겠지만, 당신은 법을 어겨서는 안 됩니다.

Your punishment is / ten dollars / or ten days / in jail." // Then, / he pulled out / a bill / and added, / "Here is / the
당신의 처벌은 벌금 10달러 혹은 징역 10일입니다."   그런 다음 그는 지폐를 꺼내서 덧붙였다. "당신을 위한 10달러의

ten-dollar fine / for you. // Besides, / I'll fine / everyone / here in this court / fifty cents, / because you live / in a town /
벌금이 여기 있습니다.   그 밖에도 여러분은 한 개인이 자신의 손주들을 위해 빵을 훔쳐야 하는 도시에 살고 있기 때문에, 나는

where a person / ❷ **has to** steal bread / for her grandchildren. // Officer! / Collect the fines / and give them / to the
이 법정에 있는 모두에게 50센트씩의 벌금을 부과할 것입니다.   경관!   벌금을 모아 그것들을 여인에게 주시오."

woman." // "You can go home / now," / he said / to the woman. // The judge / was Fiorello La Guarida / who was
            "이제 당신은 집에 가도 좋습니다." 그가 그 여인에게 말했다.   그 판사는 뉴욕 시장에 세 번 당선된 Fiorello La Guarida

elected / as mayor / of New York / three times.
였다.

정답   ④
문제 해설   굶고 있는 손주들을 위해 빵을 훔칠 수밖에 없었던 노파에게 벌금을 부과함과 동시에, 노파에게 아무런 도움을 주지 못한 자신과
         방청객들에게도 벌금을 부과함으로써 정의를 지킨 재판관에 관한 글이다. 글을 통해 ④ '감동적이고 교훈적인' 분위기를 느낄 수
         있다.
         ① 활기 넘치고 축제 분위기인 ② 차분하고 평화로운 ③ 무섭고 끔찍한 ⑤ 슬프고 비참한
구문 해설   ❶ must는 '~해야 한다'라는 뜻의 의무를 나타내는 조동사이며, 부정의 뜻을 나타낼 때 must 뒤에 not을 쓴다.
         ❷ has to는 '~해야 한다'라는 뜻의 의무, 필요를 나타내는 조동사이다.

STEP 1 ≫ 구문 Start

pp. 58~59

03 바로 예문

1 May I ask you a question?
제가 질문을 하나 해도 될까요?

2 She cannot be there today.
그녀는 오늘 그곳에 있을 리 없다.

3 Can I drink a little more lemonade?
제가 레모네이드를 조금 더 마셔도 될까요?

4 Your purse might be in the living room.
네 지갑은 거실에 있을지도 모른다.

바로 훈련

5 That cannot be her real name.
그것이 그녀의 본명일 리 없다.

6 It may not be sunny this afternoon.
오늘 오후에는 날씨가 화창하지 않을지도 모른다.

7 The missing dog must be in the park.
실종된 개는 공원에 있는 것이 틀림없다.

8 All of you may propose a new plan for the project.
여러분 모두는 그 과제를 위해 새로운 계획을 제안해도 됩니다.

9 A clown might come to my little brother's birthday party.
광대가 나의 남동생의 생일 파티에 올지도 모른다.

04 바로 예문

1 He used to take a walk in the morning.
그는 아침에 산책을 하곤 했다.

2 She would like to eat something sweet.
그녀는 단것이 먹고 싶다.

3 I would always go to the beach.
나는 항상 해변에 가곤 했다.

4 You had better rest for a while.
너는 잠시 쉬는 것이 좋겠다.

바로 훈련

5 You'd better go to the camp and make friends.
너는 그 캠프에 가서 친구들을 사귀는 것이 좋겠다.

6 I'd like to have some fresh salad for lunch today.
나는 오늘 점심으로 신선한 샐러드를 먹고 싶다.

7 He used to visit the island and spend summer there.
그는 그 섬을 방문하여 그곳에서 여름을 보내곤 했다.

8 My grandpa used to tell me interesting stories at night.
나의 할아버지는 밤에 내게 재미있는 이야기를 해 주시곤 했다.

9 My family didn't use to eat out during weekdays.
나의 가족은 주중에는 외식을 하지 않곤 했다.

3

The World Cup / **❶ may** be / the most popular sporting event / in the world. // The event / takes place / every four
월드컵은 전 세계에서 가장 인기 있는 스포츠 행사일지도 모른다.   그 행사는 4년마다 열린다.

years. // In the first set / of matches, / 32 countries compete / to make the top 16. // Then / the 16 countries / play
첫 번째 본선 경기에서는 32개국이 16강에 들기 위해 경쟁한다.   그리고 나서 16개국은 다시 경기를

again, / and only eight of them / can reach / the quarter-finals. // From this point, / only teams / that continue to win /
하여, 그들 중 오직 8개국만이 준결승전에 오를 수 있다.   이때부터는 단 한 팀만 남을 때까지 계속해서 이긴 팀들만

can play / in further matches / until just one team / is left. // This way / of playing matches / is called / a "tournament." //
다음 경기들을 할 수 있다.   이러한 경기 방식은 '토너먼트'라고 불린다.

So, / all the teams / should work hard / to make the semi-finals, / which has / only four teams. // Then, / in the finals, /
그래서 모든 팀들은 준결승전에 오르기 위해 열심히 해야 하는데, 준결승전에는 오직 4팀만이 나간다.   그런 다음, 결승전에서는

the strongest two teams / are able to play / a match / for the World Cup Trophy.
가장 강한 두 팀이 월드컵 트로피를 놓고 경기를 할 수 있다.

정답 ②
문제 해설 월드컵 경기가 32강을 거쳐 16강부터는 승자만 다음 경기에 진출하는 토너먼트 방식으로 진행된다는 내용이므로, 글의 주제로는
② '월드컵의 경기 방식'이 알맞다.
구문 해설 ❶ may는 '~일지도 모른다'라는 뜻의 약한 추측을 나타내는 조동사이다.

4

Homemade bread is / much more delicious / than any other bread / in bakeries. // To bake this bread, / first /
집에서 만든 빵은 제과점의 다른 어떤 빵보다도 훨씬 더 맛있다.   이런 빵을 굽기 위해서 먼저

you should buy / flour, yeast, and milk. // According to the recipe, / you should mix / all the ingredients / in a bowl. //
당신은 밀가루와 이스트, 우유를 사야 한다.   조리법에 따라 당신은 모든 재료를 하나의 그릇에 넣고 섞어야 한다.

Here, / the important thing is / using a measuring cup. // If you don't have / one, / you **❶ 'd better** use / the same
여기서 중요한 점은 계량컵을 사용하는 것이다.   만약 당신이 그것을 가지고 있지 않다면, 당신은 모든 재료를

cup or bowl / to measure / all the ingredients. // In baking, / this is / very important / because the exact amounts /
계량하기 위해 같은 컵이나 그릇을 사용하는 것이 좋다. 빵을 굽는 데 있어 정확한 양의 밀가루와 이스트, 우유가 필요하기 때문에

of flour, yeast, and milk / are needed. // After mixing / all the ingredients, / put the mix / in a warm place. // Then /
이것은 아주 중요하다.   모든 재료를 섞은 뒤 반죽을 따뜻한 곳에 넣어 놓아라.   그러면

the mix / gets bigger / because of the yeast. // Next, / put the mix / into the oven, / but / you mustn't open / the
반죽은 이스트 때문에 더 커질 것이다.   그런 다음 반죽을 오븐에 넣되, 그것이 완전히 익을 때까지는 오븐 문을

door / until it is fully baked.
열어서는 안 된다.

정답 ⑤
문제 해설 ⑤ 글의 마지막 문장에서 반죽이 완전히 익을 때까지 오븐 문을 열어서는 안 된다고 했다.
구문 해설 ❶ '~하는 것이 낫다'라는 뜻의 충고를 나타내는 조동사 had better가 쓰였다. You'd는 You had를 축약한 형태이다.

구문+어법

1 to swim	**2** Would
3 has	**4** should
5 go	**6** must be
7 had	**8** to drink

구문 분석 노트

1 ① 동사원형 ② 능력 ③ 그 수학 문제를
2 ① have to ② 의무 ③ 기다려야 한다
3 ① 동사원형 ② 추측 ③ 모른다
4 ① used to ② 습관 ③ 산책시키곤

구문+어법 해석/해설

1 그녀는 이 호수에서 수영을 할 수 있다.
앞에 is able이 있으므로 to swim이 와서 능력을 나타내는 표현이 되어야 알맞다.
2 그 후추를 제게 건네주시겠어요?
「Could/Would＋주어＋동사원형 …?」은 공손한 부탁을 나타내는 표현이다.
3 그는 오늘 제안서를 제출해야 한다.
뒤에 to submit가 나오므로 has를 써서 의무를 나타내는 표현이 되어야 알맞다.
4 도훈이는 기침 때문에 약을 먹어야 한다.
뒤에 동사원형 take가 나오므로 should가 와서 의무를 나타내는 표현이 되어야 알맞다.

5 너는 이번 토요일에 수영하러 가도 된다.
허락을 나타내는 조동사 can 뒤에는 동사원형이 와야 하므로 go가 알맞다.
6 그녀의 휴대 전화는 책상 위에 있음이 틀림없다.
must be가 쓰여서 추측을 나타내는 말이 되어야 알맞다. had to 뒤에는 동사원형이 온다.
7 너는 동아리에 가입해서 친구를 사귀는 것이 좋겠다.
뒤에 better가 쓰였으므로 had가 와서 충고를 나타내는 표현이 되어야 알맞다.
8 그는 시원한 것을 마시고 싶다.
바람, 소망을 나타내는 조동사는 would like to이므로 would like 뒤에는 to drink가 와야 알맞다.

WORKBOOK

A
1. ~할 수 있다	2. Can	3. ~해야 한다
4. ~해도 된다	5. ~임에 틀림없다	
6. used to	7. ~하는 것이 낫다	

B
1. 판사	2. 제출하다	3. 그 이상의
4. 시장	5. (도로에서) 양보하다	
6. 제안하다	7. 파괴하다	8. 평화로운
9. 군인	10. 조리법	11. compete
12. policy	13. bill	14. punishment
15. elect	16. clown	17. harbor
18. attack	19. measure	20. ingredient

C
1. bare	2. fine	3. medicine
4. spend	5. purse	

D
1. to solve, 그는 그 과학 문제를 풀 수 없었다.
2. should, 그녀는 잠시 휴식을 취하는 것이 좋겠다.
3. must, 그녀는 실종된 애완동물이 숲에 있는 것이 틀림없다고 주장한다.
4. better, 너는 그 학교 캠프에 가서 친구들을 사귀는 것이 좋겠다.
5. to tell, 나의 사촌은 밤에 내게 무서운 이야기를 해 주곤 했다.

E
1. That cannot be his real name.
2. I have to be in the office by 7 a.m.
3. Grandma and I used to eat out on weekends.
4. Could you give me a ride to the train station?
5. All of you may propose a new plan for the project.
6. She has to submit her report by tomorrow.
7. The World Cup may be the most popular sporting event in the world.
8. All the soldiers could enjoy the nice weather and beautiful beaches of Hawaii.

F
1. Could you pass me
2. must wear their helmets
3. a person has to steal bread
4. can hold my breath
5. A clown might come to
6. He would like to have
7. Mr. Parker cannot be there
8. had better use the same cup or bowl

Unit 6 수동태

01 바로 예문

1 English is spoken by many people.
영어는 많은 사람들에 의해 말해진다.

2 The articles are posted on the Web.
그 기사들은 인터넷에 게시된다.

3 School uniforms are worn by students.
교복은 학생들에 의해 착용된다.

4 The flowers are watered by the gardener.
그 꽃들은 정원사에 의해 물 뿌려진다.

바로 훈련

5 The Earth is threatened by pollution.
지구는 공해로 인해 위협받는다.

6 These machines are used to wash the cars.
이 기계들은 세차하는 데 사용된다.

7 In my family, breakfast is cooked by Grandpa.
나의 가족 중에 아침 식사는 할아버지에 의해 요리된다.

8 Lots of clothes and shoes are made by the company.
많은 옷과 신발들이 그 회사에 의해 만들어진다.

9 All the food and clothing are sent to the nursing home.
모든 음식과 옷가지는 양로원에 보내진다.

02 바로 예문

1 The tent was used by my family.
그 텐트는 나의 가족에 의해 사용되었다.

2 The flowers were delivered by him.
그 꽃들은 그에 의해 배달되었다.

3 The box will be carried to her house.
그 상자는 그녀의 집으로 옮겨질 것이다.

4 Your food is being cooked in the kitchen.
당신의 음식은 부엌에서 조리되고 있다.

바로 훈련

5 The beach will be changed into a resort.
그 해변은 휴양지로 바뀔 것이다.

6 A new road was being constructed.
새로운 도로가 건설되고 있었다.

7 When I came back home, only $1 was left in my wallet.
내가 집에 돌아왔을 때 1달러만이 내 지갑에 남겨져 있었다.

8 This dress was designed by an Italian designer.
이 드레스는 이탈리아의 한 디자이너에 의해 디자인되었다.

9 The music class will be taught by a new teacher.
그 음악 수업은 새로 오신 선생님에 의해 가르쳐질 것이다.

1

Cereal is / a breakfast food / that ❶**is made** from grains. // It ❷**is** usually **mixed** / with milk or yogurt / and often
시리얼은 곡물로 만든 아침 식사 식품이다.   그것은 주로 우유나 요구르트와 섞이며, 종종 과일, 견과류와

eaten / with fruits and nuts. // In the past, / cereal **was not** / as popular as today. // At that time, / the main Western
함께 섭취된다.   과거에 시리얼은 오늘날만큼 인기가 많지 않았다.   당시에 서양의 주된 아침 식사 식품은

breakfast foods were / eggs, bacon, sausage, and beef. // Only a few vegetarians / enjoyed eating cereal, / but it
달걀, 베이컨, 소시지, 그리고 소고기였다.   소수의 채식주의자들만이 시리얼 먹는 것을 즐겼지만, 그것은

was not simple / to make. // They had to put grains / into water overnight / to make them / soft enough to eat. //
만들기가 간단하지 않았다.   그들은 곡물을 먹기에 충분히 부드러워지게 하려고 하룻밤 동안 물에 담가 놓아야 했다.

An easier cereal / ❸**was created** / by accident. // Dr. Kellogg and his brother / left cooked wheat / in water / for a
더 간편한 시리얼은 우연히 만들어졌다.   Kellogg 박사와 그의 남동생은 익힌 밀을 물속에 오랫동안 남겨 두었다.

long time. // When they rolled it out, / what they found / was the thin flakes / which all of us enjoy.
    그들이 그것을 밀어서 폈을 때 발견한 것은 우리 모두가 즐겨 먹는 얇은 조각이었다.

정답 ④

문제 해설 'They had to put grains ....'에서 곡물을 먹기에 충분히 부드러워지게 하려고 하룻밤 동안 물에 담가 놓아야 했다고 했으므로,
④는 글의 내용과 일치하지 않는다.

구문 해설 ❶ 「is+p.p.」 형태의 수동태로 '만들어지다'라는 의미이다.

❷ is mixed와 (is) eaten이 등위 접속사 and로 연결된 「is+p.p.」 형태의 수동태이다. 각각 '섞이다'와 '섭취되다'라는 의미이다.

❸ 「was+p.p.」 형태의 과거시제 수동태로 '만들어졌다'라는 의미이다.

2

Paper is very important / in our life. // We make books, / take notes, / and print important documents / using
종이는 우리 생활에서 아주 중요하다.　　　우리는 종이를 사용해서 책을 만들고, 필기하며, 중요한 문서를 인쇄한다.
paper. // However, / before China invented / the first paper / in the second century AD, / many other things /
　　　하지만 서기 2세기에 중국이 최초의 종이를 발명하기 전에는 많은 다른 것들이 종이 대신 사용되었다.
❶ **were used** / instead of paper. // In ancient Egypt, / people used papyrus / for writing. // This ❷ **was made** / from
　　　　　　　　　　　　　　　고대 이집트에서 사람들은 글을 쓰는 데 파피루스 종이를 사용했다. 이것은 파피루스 식물의
thin strips of papyrus plants. // In China, / important things were written / on expensive silk. // European people
얇고 긴 조각으로 만들어졌다.　　　중국에서 중요한 것들은 값비싼 비단 위에 쓰였다.　　　　　　　　　유럽인들은 글을
used / flat pieces of stone or sheepskin / to write on. // When the first paper / was invented / in China, / people
쓰는 데 평평한 석판이나 양피지를 사용했다.　　　　　　　최초의 종이가 중국에서 발명되었을 때, 사람들은 그것을 많이
didn't use it much. // It took / several hundred years / until paper became popular / around the world.
사용하지 않았다.　　　종이가 전 세계적으로 대중화되기까지는 몇백 년의 시간이 걸렸다.

정답　　　②
문제 해설　　종이가 발명되어 대중화되기 전에 사람들이 종이 대신 무엇을 사용했는지를 설명한 글이다. 그러므로 글의 주제로는 ②가
　　　　　　알맞다.
구문 해설　　❶ 「were+p.p.」 형태의 과거시제 수동태가 쓰여서 '사용되었다'라는 의미를 나타냈다.
　　　　　　❷ 「was+p.p.」 형태의 과거시제 수동태가 쓰여서 '만들어졌다'라는 의미를 나타냈다.

STEP 1 ≫ 구문 Start
pp. 68~69

03 바로 예문

1　It was not made in China.
　그것은 중국에서 만들어지지 않았다.

2　Is this coffee imported from Kenya?
　이 커피는 케냐에서 수입되나요?

3　The wall might not be painted blue.
　그 벽은 파란색으로 칠해지지 않을지도 모른다.

4　Should the letter be sent to Mary?
　그 편지는 Mary에게 보내져야 하나요?

바로 훈련

5　The gift cannot be delivered to Ken.
　그 선물은 Ken에게 전달될 수 없다.

6　Were the boxes moved to the sixth floor?
　그 상자들은 6층으로 옮겨졌나요?

7　Are cell phones not allowed in this library?
　이 도서관에서 휴대 전화는 허용되지 않나요?

8　This meat should be put into the refrigerator.
　이 고기는 냉장고에 넣어져야 한다.

9　You are not given any food and drink during the field
　trip.
　여러분에게는 현장 학습 중에 어떤 음식과 음료도 제공되지 않
　습니다.

04 바로 예문

1　People are worried about the economy.
　사람들은 경제를 걱정한다.

2　The floor was covered with dust.
　마루는 먼지로 덮여 있었다.

3　He was satisfied with the result.
　그는 그 결과에 만족했다.

4　She is interested in philosophy.
　그녀는 철학에 관심이 있다.

바로 훈련

5　We are tired of the cold weather here.
　우리는 이곳의 추운 날씨에 싫증이 난다.

6　The TV drama is based on a real story.
　그 TV 드라마는 실화에 근거한다.

7　We were very excited about the soccer match.
　우리는 축구 경기에 무척 흥분했다.

8　All lands and mountains were covered with snow.
　온 땅과 산이 눈으로 뒤덮였다.

9　The truth about the accident was not known to many
　people.
　그 사고의 진실은 많은 사람들에게 알려지지 않았다.

3

This coming Friday / will be / a very special day / for all teachers, students, and parents. // The school flea
다가오는 이번 금요일은 모든 교사, 학생, 그리고 학부모님들께 무척 특별한 날이 될 것입니다. 　　　　　　교내 벼룩시장이

market / will be held / on that day. // So, / all the teachers and students / are expected to put / at least one item /
그날 열릴 것입니다. 　　　　　　따라서 모든 교사들과 학생들은 적어도 한 가지의 물건을 시장에 내놓을 것이 요구됩니다.

on the market. // Used books, clothes, and CDs / will all be welcomed. // Or some items / that you bought / and
　　　　　　중고 도서, 의류, 시디 모두 환영입니다. 　　　　　　또는 여러분이 구입해서 별로 사용하지 않았던

didn't use much / ❶ **can be sold** / at good prices. // However, / remember / that 10 percent of all the profits / will
몇몇 물건들이 좋은 가격에 판매될 수 있습니다. 　　　　　　하지만 모든 수익의 10%가 지역의 자선 단체로 기부된다는 것을

be given / to the local charity. // This event / will be held / for the first time / this year. // However, / if it succeeds, /
기억하십시오. 　　　　　　이 행사는 올해 처음으로 열릴 것입니다. 　　　　　　하지만 만약 그것이 성공한다면

we will continue / having this flea market / every year.
우리는 이 벼룩시장을 매년 계속할 것입니다.

정답 　　　②
문제 해설 　　교사, 학생, 학부모들에게 이번 금요일에 열리는 교내 벼룩시장을 안내하는 글이다. 따라서 글을 쓴 목적으로 알맞은 것은 ②이다.
구문 해설 　　❶「can be+p.p.」형태의 조동사가 쓰인 수동태로, '판매될 수 있다'라는 의미이다.

4

Do you know / there is a road / which makes energy? // This road isn't / just for walking or driving. // It is a
당신은 에너지를 만들어 내는 도로가 있다는 것을 아는가? 　　　　　　이 도로는 단지 걷거나 운행을 하기 위한 것이 아니다.

road / which ❶ **is covered with** / solar panels. // Solar roads can provide / not only roads / for cars and humans /
그것은 태양광 패널로 덮인 도로이다. 　　　　　　태양광 도로는 자동차와 인간을 위한 도로뿐만 아니라 청정 에너지를 제공할

but also clean energy. // The energy / made from solar roads / can light / road signs and signals. // It can also
수 있다. 　　　　　　태양광 도로에서 만들어진 에너지는 도로 표지판과 신호등을 켤 수 있다. 　　　　　　그것은 또한

give power / to electric vehicles, homes, and buildings. // At present, / one-kilometer of a solar road / can power /
전기 차와 가정, 그리고 건물들에 전력을 공급할 수 있다. 　　　　　　현재, 1km의 태양광 도로는 5,000명이 거주하는 마을에 전력을

a town of 5,000 people. // Most of all, / the benefit of this system is / that you can set it up / on the road directly. //
공급할 수 있다. 　　　　　　무엇보다도 이러한 시스템의 장점은 그것을 도로 위에 바로 설치할 수 있다는 것이다.

It / can also melt / the snow on the road / and tell us / the traffic information. // As a result, / this kind of road / is
그것은 도로 위의 눈을 녹일 수 있고, 우리에게 교통 정보도 제공해 줄 수 있다. 　　　　　　결과적으로, 이러한 종류의 도로는

being built / around the world.
전 세계에서 건설되고 있다.

정답 　　　②
문제 해설 　　태양광 도로의 장점으로 ② '교통사고를 방지한다.'는 내용은 다뤄지지 않았다.
구문 해설 　　❶ be covered with는 '~으로 뒤덮이다'라는 뜻의 수동태 표현이다. 수동태의 뒤에는 by 이외의 전치사를 쓰기도 한다.

구문+어법

1 spoken	2 be borrowed
3 being cooked	4 imported
5 not given	6 be
7 with	8 on

구문 분석 노트

1 ① 행위자 ② 수동태 ③ 청소된다
2 ① being ② 진행형 ③ 수리되고
3 ① not ② 부정문 ③ 만들어지지
4 ① p.p. ② by ③ 관심이 있었다

구문+어법 해석 / 해설

1 프랑스어는 많은 사람들에 의해 말해진다.
'프랑스어는 많은 사람들에 의해 말해진다'라는 수동의 의미가 되어야 하므로, be동사 뒤에는 p.p. 형태인 spoken이 와야 한다.

2 이 잡지는 그에 의해 빌려질 것이다.
'잡지는 빌려질 것이다'라는 수동의 의미가 되어야 한다. 수동태의 미래시제는 「will be+p.p.」로 쓰므로, will 뒤에는 be borrowed가 와야 한다.

3 저녁은 부엌에서 조리되고 있다.
수동태의 진행형은 「be동사+being+p.p.」로 쓰므로, is 뒤에는 being cooked가 와야 한다.

4 그 커피 기계들은 이탈리아에서 수입되었나요?
수동태 의문문은 「be동사+주어+p.p. ...?」로 쓰므로, imported가 알맞다.

5 참가자들에게는 행사에서 어떤 음식도 제공되지 않는다.
수동태 부정문은 「주어+be동사+not+p.p. .....」로 쓰므로, not given이 알맞다.

6 이 과일은 냉장고에 넣어져야 한다.
조동사가 쓰인 수동태는 「조동사+be+p.p.」로 쓰므로, should 뒤에는 be가 와야 한다.

7 이 병은 사과 주스로 채워져 있다.
수동태의 동사 뒤에는 by 이외의 전치사를 쓰기도 한다.
be filled with: ~으로 채워지다

8 그 영화는 그의 소설에 근거한다.
be based on: ~에 근거하다

A
1. p.p.   2. will be   3. being
4. not   5. 조동사   6. by

B
1. 빌리다   2. 문서   3. 100년, 세기
4. 채식주의자   5. 위협하다   6. 건설하다
7. 공해, 오염   8. 제공하다   9. 사고
10. 하룻밤 동안   11. post   12. flake
13. benefit   14. charity   15. import
16. profit   17. panel   18. solar
19. philosophy   20. signal

C
1. pollution   2. refrigerator   3. imported
4. economy   5. allowed

D
1. written, 이 기사는 내 사촌에 의해 쓰였다.
2. being, 새로운 건물이 건설되고 있었다.
3. Were, 그 병들은 5층으로 옮겨졌나요?
4. to, 태풍에 관한 소식은 많은 사람들에게 알려지지 않았다.
5. on, 그 영화는 역사적 사건들에 근거한다.

E
1. I am interested in music.
2. All hills were covered with flowers.
3. This novel is loved by many people.
4. This card should be delivered to Jacob.
5. This coat was designed by a famous designer.
6. The science class will be taught by a new teacher.
7. Cereal is a breakfast food that is made from grains.
8. The school flea market will be held on that day.

F
1. are made by the company
2. The furniture will be carried
3. All the food and clothing were sent
4. must be painted brown
5. were written on expensive silk
6. were very excited about
7. My dinner is being cooked
8. can be sold at good prices

정답은
이안에
있어!

피곤한 눈을 맑고 개운하게!
눈 스트레칭

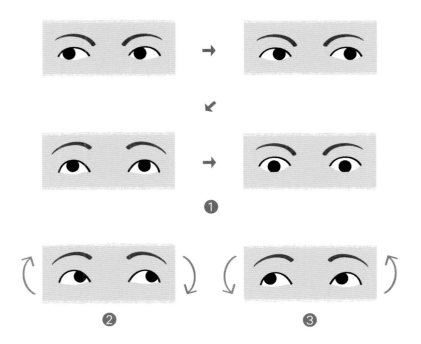

눈이 피곤하면 집중력도 떨어지고, 심한 경우 두통이 생기기도 합니다.
꾸준한 눈 스트레칭으로 눈의 피로를 꼭 풀어 주세요. 눈 스트레칭을 할 때 목은
고정하고 눈동자만 움직여야 효과가 좋아진다는 것! 잊지 마세요.

❶ 눈동자를 다음과 같은 순서로 움직여 보세요. 한 방향당 10초간 머물러야 합니다.

  왼쪽 ➡ 오른쪽 ➡ 위쪽 ➡ 아래쪽

❷ 눈동자를 시계 방향으로 한 바퀴 돌려 주세요.

❸ 눈동자를 시계 반대 방향으로 한 바퀴 돌려 주세요.

  ※ 스트레칭 후에도 눈에 피곤함이 남아 있다면, 2~3회 반복해 주세요.

조금 더
공부해
볼까?

교육과 IT가 만나
새로운 미래를 만들어갑니다

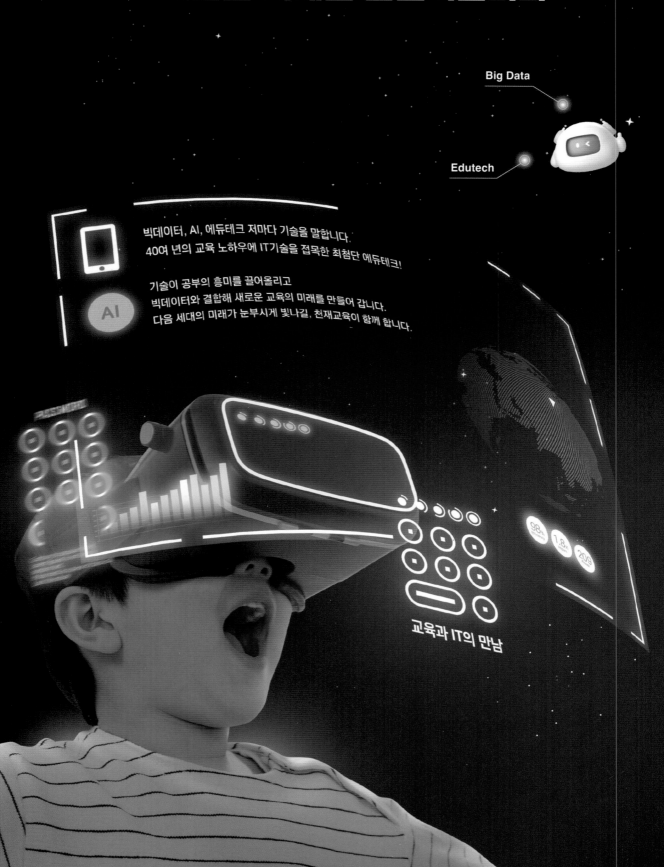

Big Data

Edutech

빅데이터, AI, 에듀테크 저마다 기술을 말합니다.
40여 년의 교육 노하우에 IT기술을 접목한 최첨단 에듀테크!

기술이 공부의 흥미를 끌어올리고
빅데이터와 결합해 새로운 교육의 미래를 만들어 갑니다.
다음 세대의 미래가 눈부시게 빛나길, 천재교육이 함께 합니다.

AI

교육과 IT의 만남